GRACES AND PRAYERS

GRACES
AND
PRAYERS

John Lewis Sandlin

FLEMING H. REVELL COMPANY

COPYRIGHT © MCMLIX BY FLEMING H. REVELL COMPANY

Westwood, New Jersey
London E.C.4—29 Ludgate Hill
Glasgow C.2—229 Bothwell Street

Library of Congress Catalog Card Number: 59–14957

Printed in the United States of America

1.1

To my children
Sarah and Wescoat
who came as an answer to my prayers

Preface

LIFE BRINGS TO each of us many difficult situations which, we soon find, we cannot solve alone. We need divine help. We need God's grace to strengthen our lives and inspire our hearts to take courage and be rid of wavering preoccupations that destroy morale and betray our spiritual strength.

Prayer is the means whereby we face our difficulties realistically and sincerely. For nothing is gained by imagining that everything is all right or that it will be all right if we will only wait.

In the light of our needs, God helps us. This I believe with all my heart: as we face the responsibility for our condition and pray in the spirit of humility and contrition, God meets us and helps us.

This book seeks to give direction, to point the way to an attitude and to conduct us on the quest of communion with God, according to His will. The road of daily living is, for all of us, beset with mutual failures, disasters, tragedies, woes, and successes. As of the Village Blacksmith, it may be said of each of us,

> Toiling, rejoicing, sorrowing,
> Onward through life he goes.

I have tried to picture our needs through the prayers and graces contained in this little book, which is a companion to my first volume, *A Prayer for Every Day*.

Dear Reader, should you find it helpful, the author will be truly thankful to our Father in whose name it is written. *Amen.*

J. L. S.

Nashville, Tennessee

Contents

PART 1 PRAYERS FOR PERSONAL AND FAMILY DEVOTIONS

For Special Needs

For Difficult Situations

CONTENTS 11

For Special Days and Occasions

Part I

*PRAYERS FOR PERSONAL
AND FAMILY DEVOTIONS*

For Special Needs

Eternal Father, who hast given us life and endowed us with many talents, we pray that the work of our hands be characterized by diligence and willingness. Forgive our neglect. Free us from the fetters of sin. Inspire us with steadfast hope and devoted faith. When our spirit grows dim, may the brilliance of Thy Spirit rekindle us; when life seems useless and the road appears difficult, may Thy Spirit bring us the grace necessary for living in sacrificial service.

We are unworthy to ask anything, yet we know that Thou dost hear every cry of human need. Forgive our weak and selfish complaining, and send us forth to minister in the name of the One who said, "Inasmuch as ye have done it unto one of the least of these my brethren, ye have done it unto me."

O Thou Eternal One, give us through communion with Thee an unbounded fellowship broad enough to destroy all prejudice and unbrotherliness. As we bow at the foot of

His cross, in the quietness of our home, make us mindful of
our unworthiness; and when we have laid bare our hearts
before Thee, unite us with all Christians in Thy never-
ending service. This we humbly ask for them and for us;
through Jesus Christ our Lord. *Amen.*

FOR CONSECRATION

Give us a portion of Thy Spirit, O Lord; make us mindful of Thy presence in this our family. We come to Thee
conscious of our unworthiness, but with the knowledge of
Him who said He worked as the manifestation of Thy
power.

May there come to each of us that desire to do every
task more efficiently and with more willingness; remove
any grudging, that we may not be burdened simply with
necessity.

May the greatness of this hour come because of what
Thou art to us, and "may no earth-born cloud arise" to
hide Thee from anyone who seeks Thy holy presence.
Through Jesus Christ our Lord. *Amen.*

FOR CONSTANCY

O Lord God, to whom belongeth the peace of every
thought and spiritual investment; in whose view of eternity
we have become a part of Thy loving and constant care:
make of this home a holy place, that all who call upon Thy
name may be filled with Thy heavenly benediction and
blessing. Be our defense and guide in all perplexities of the
human heart; let us abide in the thought of Thy will for
lives that are making an investment for Thy Kingdom.

Give constancy to the will as we look toward great adventure. Unto Thee may we give thanks that this time is set apart for the giving of depth to our fellowship with Thee, that we may share it with loved ones whose lives are related to our own. And in the enlargement of this increasingly growing circle of communion with Thee, teach us how to bring the light of hope. Through Jesus Christ our Lord. *Amen.*

FOR DIVINE WISDOM

Our Father, may that goodness which inspired the deeds of our Master become the pattern of inspiration for our daily living in this home. We know so little; and we are so powerless when we have not sought Thy guidance.

Grant us clear minds and ready judgments. Endow us with wisdom to make the right decisions. Make us able to serve Thee more as we are guided by Thy Holy Spirit. Take from us any tinge of indifference; strengthen us to climb the steeps of daily toil. We ask not for ease; we would share in the labors of this day. In the spirit of Christ we pray. *Amen.*

FOR ENCOURAGEMENT

Eternal God, Father of our Lord Jesus Christ, who art our hope and our steadfast guide, be with us in this hour of worship. Strengthen our spiritual attitudes that we may grow in the likeness of Christ. Stand Thou in the midst of our experience as the fountain of all quality and true godliliness.

Be Thou our companion in the coming days; influence

every motive that our lives may be pure. Thou hast not
left us comfortless. Thou hast not forsaken us in the working out of problems. Encourage us that these days of
preparation may be thorough and fruitful in the construc-
tion of lives Thou canst use; through Jesus Christ our Lord.
Amen.

WALKING BY FAITH

In Thy presence we bow, our Father, knowing of Thy
care for us. Use this moment for our inspiration, that Thy
divine Spirit may send us out to do greater work for Thee.
Make us dissatisfied with ourselves; cause us to look upward for the manna of the soul.

May we walk by faith, believing in that which is possible
only to those who look to Thee. Remove whatever of
presumption there may be within our lives. We cannot
walk alone; encourage our efforts and give them meaning
and quality. So fill our hearts with Christian hope that
none may lose the way.

May our trust be only in Thy great mercy and forgiveness, knowing that all we have received has come from Thy
bounty. Blot out selfishness, that our motives may be pure;
free us from hatred, that Thy love may be effective in our
lives; destroy prejudice, that we may consider Thy way.
And may we give Thee thanks always; through Jesus Christ
our Lord. *Amen.*

FOR FAMILY FELLOWSHIP

Steady our lives with fortitude; make strong our desire
for fellowship with our family group. Enforce our wills
through Christian fellowship; send us forth to do for Thee

that which we cannot do alone and of ourselves. Grant us courage in the freedom which Thy Spirit pours upon our lives; through Jesus Christ our Lord. *Amen.*

FOR FREEDOM THROUGH SHARING

We know, our Father, that Thou dost stand at the center of life in this family with a love unbounded by woes or hindrances. We know that Thou dost care when our hearts are filled with disappointment or submerged in grief. And because we know this, we ask Thy guidance and strength for the journey ahead.

There are so many things we do not know and have not learned because of our own spiritual blindness. Give us broad understanding and tolerance; gird us with the "preparation of the gospel of peace" and good will for all persons.

May we, as members of Thy family, give to others that freedom which lives only as it is shared. Create within us new hope. This we ask in the name of Jesus Christ our Lord. *Amen.*

APPRECIATION OF GOD'S CARE

O Lord, our Lord, how conscious we are of Thy presence! When we consider the opportunity which is ours, and the adoption Thou hast made of all who are willing to seek Thy fellowship, our souls are humbled. We are so unworthy of Thy care for us. Thy blessings are too wonderful. And yet in this clime we would set aside the noisome duties for communion with Thee.

As Thou dost regard our weakness, so may we be mindful of Thy power to make whole where relationships have been

shattered through our carelessness. Grant us wisdom to
solve problems, even in the midst of the shadows of the
impossible. And where the turbulent billows of unpleasant
attitudes are disturbing, may there come the calm of reassurance and spiritual fealty.

Where goals have been attained, help us to set new and
higher standards; free us from contentment which might
result in complacency; and give to us the peace of the
Christ, in whose name we pray. *Amen.*

RECOGNIZING GOD'S PRESENCE

O Thou who hearest our prayer, who art the strength of
our life and the source of our salvation, look upon Thy
children with favor and sustain them by Thy blessing. As
we call upon Thee in the watches of the night, Thou art
present; when we rise to face the duties of the morning,
Thy Spirit encourages our own; when we are weak and
weary through the tasks of the evening, Thou art with us.

May we know that Thou hast not been apart from our
lives, even in times of adversity. Thy presence is vital to us;
and so we call upon Thee for guidance and inspiration, encouragement and consolation. Grant to Thy children the
humble trust, whose result is obedience and whose attitude
is loyalty. May we not fail Thee through any lack of the
Christian spirit in the stewardship of life. We ask this in
the name of the Christ. *Amen.*

THE GRACE OF GOD

Eternal Father, whose love is eternal, whose forgiveness
is without measure, whose wisdom is unfailing; we look to

Thee for guidance in this hour. When our eyes are blinded by the distractions and frettings of this earth; when peace is not visible to our ken; when the thought of giving up is upon us; when we think that our lives are forsaken—when in any of these moods we have not trusted Thee sufficiently, cause us to look to Thee for grace, the sustaining force of this universe.

May the Christian fellowship of unselfishness permeate the efforts of all who earnestly desire the uniting of all people in Christian faith and love. Give us more of that experience of forgiveness, which in itself is sacrifice, that men may know Thee, "whom to know aright is life eternal," even Jesus Christ our Lord. *Amen.*

FOR GUIDANCE

Dear Father of peace, in humility and gratitude we lift our hearts to Thee. With the coming of a new day we ask Thy blessing. In the presence of so much suffering and greed we ask Thy forgiveness. May Thy grace sustain our empty hearts; fill us with the compassion of Him who came with a ministry of condolence and self-obliterating service.

Bless the interests of this family, and give to its members a renewal of faith and realization of duty at all points of urgency and need. Teach us the way of love and sacrifice, and make us able to render it effective in our lives.

In our weakness, may we welcome Thy steadfast purpose; and, wherever there is uncertainty or doubt, we ask for Thy continued guidance.

May we use this day sincerely and devotedly in the name of Christ our Saviour. *Amen.*

FOR HEALING POWER

Lord, Thou knowest the longings of our hearts. Thou art our strength, our hope eternal; we look to Thee at this time for spiritual strength.

We would not forget those who suffer the pangs of disease; bring upon them the comfort of Thy healing hand. Give to our doctors the power of gentleness in the art of healing; bless them in the ministrations of the day and night. And as we look to Thee for the sustenance of every life, may we thank Thee for the presence of Him who came that we might have life in all of its abundance, even Jesus Christ our blessed Lord. *Amen.*

INTERCESSION FOR THE HOME

Our Father, bless our family.
Make of our home:
    A place of worship where Thou dost speak,
    A fellowship of minds who seek Thy guidance,
    A sharing of love for one another,
    A constant solace in the midst of perplexity.
Be Thou:
    Our guiding light through life's dark moments,
    Our hope in the midst of doubt or uncertainty,
    Our assurance in the presence of discouragement,
    Our trust through every changing scene.
May we so abide here that our relationship may become a paean of victorious Christian living. *Amen.*

IN TIME OF NEED

Dear Lord and Father of mankind, we call upon Thee in this hour of need. Our many hopes are refined by Thy presence. Without Thy blessing we are destitute; with it, we feel the abundance of Thy pardon. May Thy Spirit purify our lives, and inspire us to noble living.

In the midst of uncertainty we seek for Thy peace. May we learn tolerance and share benevolence. May the generosity of our hearts be strengthened by the love of the divine Christ, so that Thy healing and tender care may be shared.

To all who suffer, give a greater patience; bless us with understanding as we seek Thy help. And may our hands assist in the alleviation of suffering throughout the length and breadth of the earth, until the kingdoms of this world become the kingdoms of our Lord and of His Christ, in whose blessed name we pray. *Amen.*

"our finest hour"

Our Heavenly Father, as a family may we realize that Thou art not far from any one of us; Thou art our joy. And yet, at times we have neglected this opportunity for fellowship. Our lives have too often suffered because of jangling pettiness.

With renewed consecration may we make this the greatest hour. May it be a time in which our deeper resolution to live for Thee is consummated. Grant that the conviction and steadfast hope of Christ may dwell within our hearts.

Free us from wavering, yet make us considerate and thorough in our search for the right; may the decisions we make be in right relationship with Thy will for us.

Loose the fetters that bind us in complacency; free us from the drabness of spiritual ruts. And, as we try to lift our lives closer into Thy presence, help us to know that what we are doing for others is the measure of accomplishment. Make this "our finest hour"; through Jesus Christ our Lord. *Amen.*

FOR PEACEFUL ATTITUDES

Lord of life, Creator of all men, may all who seek Thy face be blessed by the divine forgiveness; grant that the peace which filled the hearts of our fathers and mothers may abide with us as this act of worship is dedicated to the noble preparation for Christian life and service.

Regenerate our wills, purify our aspirations, and refine our ambitions that all may be used of Thee.

Where we have been overbearing, unreasonable, or opinionated, make us tolerant; where life is hardened by our negligence, make it solvent by Thy Spirit's guidance.

In simple faith and trust, in loyalty and self-abnegation, in humility and gratitude, in the love of Christ which constraineth all who surrender their wills to Thine—in all of these we ask to be directed, until the good news of Thy saving grace may cover the earth as the waters include the seas. Through Jesus Christ our Lord. *Amen.*

FOR RECONSECRATION

Our Father, make of our hearts a sanctuary of worship; a place of peace, where we may tryst with Thy Spirit. We call upon Thy great benevolence in this day of grace, that our lives may be more steadily blessed with a sense of reassuring love to be shared one with another.

Take our efforts into that relationship which shall make

of all men a fellowship and promote the peace of the world. May we become more and more gentle in doing Thy will; more devoted to these tasks which we feel are to be done in Thy name. Grant that our lives may become a necessary part of the work of the world in which we live.

Bless Thy people in a special way at this sacred moment; forgive us our sins; and cause us to be more forgiving of those who trespass against us. These and all other blessings we ask for them and for us; through Jesus Christ our Lord. *Amen.*

FOR REDEDICATION

Accept us as we are, but make us dissatisfied with any selfish motives. Grant us admission to the clear understanding of Thy truth. Fill our hearts with the unceasing desire to enter into the universal effort of winning persons to Christ.

May the temptations which we have be used as stepping-stones to the divine strength which comes through overcoming. May we know that any good qualities to be found in life are from Thy hand. Make us to share in the love of Him who loved all men, even unto death. And finally grant us the benefits of His resurrected life; through His name we ask it all. *Amen.*

FOR SELF-CONTROL

Our Father, so many times we have acted hastily and without thinking. Grant us the power of self-control. May we know that when we restrain ourselves we are more effective than if we had captured a town. Thou knowest that our great problems spring up from selfishness. Remove our arrogance; make us humble and kind. Teach us not to magnify trifles.

As a family group, help us to be thoughtful of one another and so to bring to our home an atmosphere of peace and contentment and love. Inspire us with the sense of dedication; fill us with understanding. This we ask in the Master's name. *Amen.*

FOR SINCERITY

Good Lord, deliver us from the sham of hypocrisy. What we are amazes us and is sometimes shocking to others. With clear resolve and community of purpose, with all the efforts Thou dost give, may we find Thy will and do something about it. Make us conscious of this responsibility of Christian influence that all our loved ones may know that we are sincere.

Give resolution to our courage and make real our diplomacy. Help us to recognize the wooing of Thy Spirit within our lives; make real the inner voice as it seeks us. Give guidance in all its meaning; through Jesus Christ our Lord. *Amen.*

FOR SINCERITY AND PURPOSE

Eternal and merciful Father, Thou hast taught us through forbearance and loving-kindness to serve our fellow men. In this privilege we feel humbled. May obedience to the challenge inspire us with sincerity and arm us for the days of the future. Make us glad for the time wherein the opportunities come.

Add to our zeal the knowledge of efficiency and the trust of self-denial. Reward all men with the comfort which comes from a task well done. Make us conscious of the lack of devotion in our spiritual lives, so that our efforts to find the spiritual treasures may be intensified.

May our lives be given to the work of winning others for the "greater work" of which our Lord spoke. Even as He sent forth laborers into the harvest, we ask that Thou wilt send us. With renewed purpose we pray. In His name. *Amen.*

FOR THE SPIRIT OF SYMPATHY

Thou who art the solace of all the brokenhearted, come into our lives with power. Enlighten us with the spirit of understanding and sympathy. If only for a little while, may we have the quiet time wherein Thou mayest speak to us of that Light that is never quenched.

May we feel anew the sense of eternity in Thy plans; forgive our wandering attitudes; steady our spirits for the greater experience of fellowship with the Christ. May the contagion of what Thy Spirit reveals to us pass on to our loved ones.

Make us glad for the privilege of the greater responsibility. May the strength we receive from Thee be shared in our home. In the name of Christ. *Amen.*

FOR SPIRITUAL POWER

Our Father, we seek to know Thy spirit of love and understanding, Thy plan for the tasks of this day. Preserve and deepen our hope and trust in Thee. Continually replenish our spiritual power through the divine approval of those attitudes which are pleasing in Thy sight.

Let us not waver in the thought of Thy truth; may its guiding light empower this family to know of the doctrine whether it be of Thee. Thou hast blessed us with Thy presence; we long to possess more of its practical meaning in doing noble deeds and performing fruitful service. Accept our worship; in the name of Jesus Christ our Lord. *Amen.*

FOR NEW STRENGTH

Receive us, O Lord, into Thy holy presence for this act of worship. Our hearts yearn for the fellowship of Thy love, craving the devotion which binds us together in the common task of Christian service. Make us so true to the spirit of this home that we may not falter in the work of the days ahead.

So may our interest be consecrated to the responsibility of this new day that we may look to Thee for all our strength. Intensify our daily concern for the success of every venture of this home; multiply our efforts in the direction of Thy will. And so replenish our faith that it may not fail in any time of need; through Jesus Christ our Lord. *Amen.*

FOR THOSE WHO SUFFER

Father of all mankind, teach us the beauty of generosity. Give us the comfort of Thy presence, and help us to remember others. Where we cannot reach with our aid, may our prayers go; where our ears cannot hear the cries of suffering humanity, may we give of our substance for the healing of wounds we ourselves may never experience.

We would remember those who have been cast into the midnight of suffering; make us conscious that they are Thy children. Remove from all lives the stain of malice.

May there be peace which is eternal. May the nations of the earth gather their treasures only at the foot of a cross, even the cross of Jesus Christ our blessed Lord and Redeemer. In His name we ask it. *Amen.*

FOR THOUGHTFULNESS

Lord of life, whose love is shed forth into the hearts of all who look to Thee: create within our souls the cleansing view of life, that cheerfulness may come into the experiences of loved ones whose lives are a part of our own.

Make us thoughtful of the feelings of our brothers and sisters that we too may share in the influences of the Christian gospel, in its beauty and forcefulness. Teach us to show forth Thy fatherhood that the members of our family may truly be Thy children; through Jesus Christ our Lord. *Amen.*

FOR TOLERANCE

Eternal God, who hast given to us the blessing of this life, make real our faith for this holy hour of family worship and thoughtful consideration. Inspire us to noble deeds and adequate understanding of the problems of our day; strengthen us for the duties of kindness and in the cultivation of lasting friendships.

We give Thee thanks for the privilege that is ours in the promotion of the interests of our home. Make us more tolerant; give to us an understanding heart and a fervent interest, that we may be instant in consideration of others; in the name of Christ we pray. *Amen.*

WHEN WE SEEK TRUTH

Lead us, O God, into the paths of truth, into the search for greater knowledge as Thou dost reveal it. In the wisdom of Thy guidance we would seek more clearly to *know,* so that we might more purposefully *do* Thy will. Be present in our diligent method, that it may avail much for thoroughness.

Thou hast made us Thy laborers and partners in the promotion of friendliness. We know that without that spiritual food which alone can supply our needs, our lives are destitute. Replenish our thinking and revive our spirits as we approach difficult places in our thoughts. And help us to do the things which make for a knowledge of truth. Through Jesus Christ our Lord. *Amen.*

FOR UNDERSTANDING HEARTS

Dear Lord, grant to us the understanding heart. Make us thorough students of life, that we may know truly what Thou wouldst have us to do. May we be steadfast in the conviction of Thy guidance and good will. Make us charitable and decisive, kindly and steadfastly hoping and working for the accomplishment of Thy will as we see it. And grant us the vision to see it as Thou wouldst have us to visualize it.

Give us the patience to be kind, though we are misunderstood. As we see that at many places in life our Saviour was misunderstood, may we take to heart His great lesson. Deliver us from all selfish motives; through Jesus Christ our Lord. *Amen.*

FOR UNSELFISHNESS

Our Father, enable us to do Thy bidding, to follow Thy will for us. When we pass through the dark valley of discouragement, we know Thou art present; when we are climbing the steep hill to heights of noble aspiration or become enraptured by the ideal of Christian service, Thou dost abide with us.

Increase our faith, though doubt assails our way; give to us the attitude that is necessary to the venture of a greater accomplishment. May we not lose the vision of the potentialities Thou hast given us.

Remove from us the selfishness that paralyzes progress, that it may not be said that we have failed Thee or this our family. This we humbly ask in the name of Jesus Christ our Lord. *Amen.*

FOR PROPER USE OF WORDS

Our Father, deliver us from the sham of insincere words or flippant or cutting statements; let not our tongues be guilty of adding to the burdens and heartaches of loved ones or friends. When we remember that these words of ours are a picture of our own inner lives, how terrible the thought! May we exercise wisdom ahead of all verbal expression.

May there come into every broken heart the consoling power of words of understanding and mutual aid. And as we realize that every person is waging a desperate battle in the struggle to be kind, teach us to be considerate, knowing that many are heavy-laden and in great need of the blessing of gentle words. We pray in the name of Him who gave us the words of eternal life. *Amen.*

For Difficult Situations

Bless every member of this home, O Lord. That we may be true to the convictions that build fellowship, inspire us to work steadfastly. Clear our consciences; cleanse us. May we perform the duties of this day in the spirit of love. Through kindly deeds and unselfish gratitude, may we seek to find the way to the goals that are set before us.

Give strength to our faith. Inspire us with noble insights and limitless devotion. Equip us for our work. May we approach our responsibilities with willing minds. In the name of Christ we pray. *Amen.*

WHEN WE ARE DEPRESSED

Most gracious Lord, who art our light and life, may we lay our heaviness at Thy feet. Thou knowest our needs. Thou art acquainted with our perplexities.

Give us faith in life, that we may be set aflame with the desire of sharing the realities of Thy Spirit. And may this great obsession kindle devotion in every heart.

When in the midst of toil our bodies are tired, give us

rest. By Thy great strength wilt Thou sustain us, and in
all the yesteryears of discouragement and grief may we find
the strength of Thy presence through Christ our Lord.
Amen.

WHEN SITUATIONS ARE DIFFICULT

Dear Lord, remind us of the duties of this hour. In our
partnership, make us faithful. Guide us by Thy Holy Spirit.
Grant us courage. As the challenge comes to us with each
new call to service, show us how to work with and for one
another.

We thank Thee that Thou hast brought leadership to
every difficult situation and to the solution of every prob-
lem. Where life has dealt severely with us, grant us patience and faith to carry forward with increasing hope and
trust. May we look to Thee always for strength.

Transform our high resolves and decisions; may they become expressions of Thy great purpose. May we grow in
spirit through devotion to every task; through Jesus Christ
our Lord. *Amen.*

WHEN DISAPPOINTMENT COMES

Our Father, we come to Thee knowing that there is no
other one on whom to call. Our hearts are heavy; we have
been disappointed. Things have not turned out as we would
have liked. But we know that Thou hearest our prayer and
dost offer us Thy consolation and guidance.

Where we have been mistaken, correct us; where we have
been stubborn, rebuke us; where we have been careless,

make us more attentive to our duties. Gracious Father, fill our minds with the wisdom we need, and bless us with insights that lead our thinking into the direction of Thy will for us.

May we not give up in despair. Inspire us to find the Spirit of the Master, to approach the new day with determination to start over. May we encourage one another and give support where it is needed. Use us in comforting one another. In all our ways, may we acknowledge Thee so that Thou mayest direct our paths. In Jesus' name. *Amen.*

WHEN DISASTER STRIKES

O God, our Heavenly Father, we are helpless in the face of forces we do not understand and cannot control. Our minds are confused; perplexity overwhelms us. While our hearts are aching, be with us and strengthen us that we may see the way out of this turmoil and trouble.

Bring Thy peace, O Lord,
   As with this experience our minds are troubled.
Come dwell with us through this and every time of
      distress.
   In these confounding moments of perplexity,
Through these horrifying hours that tear our hearts,
   May Thy vision inspire us to seek to be helpful
      to one another.

We know Thou dost care for us. Remove our fears; allay our preoccupation; strengthen us for this time of disaster. In the name of Christ we pray. *Amen.*

IN TIME OF DISCOURAGEMENT

Our Father, our selfish wishes are not Thy will for us. We come seeking to know Thy will in the living of lives that approach the standards of His life.

Make us loyal to the truth we find in Jesus Christ. Give us courage for the task ahead; and though the way we tread may be impeded by obstacles, make us unselfish enough to serve Thee.

In this hour of challenge and opportunity, may our lives be strengthened with the spirit of understanding. Remove the blight of prejudice from the minds of all who seek revenge. Forbid that we should ever surrender or compromise those principles which are eternal and everlasting. Endow us with Thy truth; through Jesus Christ our Lord. *Amen.*

FOR ENCOURAGEMENT AND FAITH

Our Father, may we realize we are stewards of the message of Jesus Christ. In this great evangel where each has work to do, may we invest our time and prayers and talents without limitation. Lend us a greater faith for this quest wherein we search for greater spiritual efficiency.

May we not give up in futility when our paths are beset by difficulties; instead of expecting an easy task, may we be inspired to meet every challenge with a willing effort.

Forgive us any thought or desire to advance Thy cause in our own strength; empower us by the strength of Thy presence. And as we seek to lead out into new areas of service, may we know that Thou art ever with us. Through Jesus Christ our Lord. *Amen.*

WHEN WE NEED FORGIVENESS

Create in us, O Lord, the spirit of forgiveness; revive our sense of fortitude that we may carry light into the dark and lonely homes. So may we live each day that the effulgence of His glory may point the way.

May we bear the standard of Christ in the days that lie ahead; and, with the dawn of every hope upon our hearts, make us know that any step toward humanitarian service is one more approach to Thee.

Inspire the youth of this home with the desire for full-time Christian service, that laborers may be prepared for the work of Thy Kingdom. Through Jesus Christ our Lord. *Amen.*

FOR FREEDOM FROM PREJUDICE

O Almighty God, who hast given us the comradeship of Christ, renew a right spirit within us. May we seek to learn of Thy way. Grant us discernment in the valuation we place upon our brothers. Make us tolerant where men are inclined to disagree.

Where clouds of prejudice have caused hatred to stand forth, awaken us to the benevolence of Christ. Where mistrust has brought discouragement or disillusionment to the hearts of men of different races, create an understanding and unwavering confidence. Where our deeds have not been in accord with the command of our Lord, may we repent of our error.

As we recall that life is more than meat and the body more than raiment, make us willing to share with those whose needs are greater than our own. This we humbly ask,

for them and for us, in the name of Jesus Christ our Lord.
Amen.

WHEN WE ARE LONELY

Dear Lord, in every hour of loneliness, may we see an
opportunity for laying stronger foundations for these spiritual mansions we are building. We recall the attitude of the
Christ as He meditated in the Garden of Gethsemane: there
it was that He revealed to His weary, wayworn disciples
the meaning of solitary moments in times of supreme crisis.

Into every desert of our lives Thou dost pour the re-
freshing waters of encouragement and reassurance. Thou
hast restored vitality and refreshment where there was only
dryness. Thou dost make real our longings and bring them
to fruition.

We thank Thee for the vitality of every friendship; for
every lonely road, if Thou wilt only walk beside us; for
every solace of light along the way. May these experiences
be used of Thee; through Jesus Christ our Lord. *Amen.*

WHEN A LOVED ONE GOES ON

Our Father and our God, Thou knowest the loneliness of
hearts that are broken because of the vacant chair in the
home, the absence of our loved one. And because Thou art
able to fathom the depths of all sorrow and assuage all
grief, we put our trust in Thee.

Thy love does not end at the grave. We know it follows
us into every experience of life that is eternal. May we feel
Thy nearness to us as we realize that our "life is but a moment of eternity lived in time." Bless us with the assurances

of faith that crosses every chasm and bids us follow the gleam of life that conquers death, that travels on beyond the cycles of the years.

May those memories which linger in our benighted souls remind us of Thy love and so become the tie which binds us closer in the bonds of life eternal. Make us brave and grateful for those who have walked this path beside us. More particularly do we ask Thy blessing upon those near and dear to one "whom we have loved long since, and lost awhile."

Our fellowship was so beautiful, and now we know that Thou art able to unite our lives through the assurance of faith in Christ. May our faith be so strengthened that all who share Thy blessing may have Thy eternal presence; through Jesus Christ our Lord. *Amen.*

WHEN MOTHER IS SICK

Our Father, may Thy tender care for our mother remind us to be kind and considerate of her in this her time of sickness. Graciously pour upon us the responsibility of caring for her during these days. Make us cheerful and responsive to her needs. May we willingly do all that is necessary for her comfort.

We thank Thee for her ministrations to us and her love that is without limit. Make us attentive to her in the sharing of our happy thoughts. And where the music of life has been silenced, show us how to restore its melody. Through every privilege of service to her, may we impart our love and our infinite devotion. As children, make us loyal. And in the anxious moments, we pray that Thou wilt guide the healing ministries of her physician.

May we continue to be helpful to our mother. May we encourage her that every outlook may be optimistic and faithful. Bless the healing ministry of all who seek to help. We pray that Thy will may be accomplished. In Jesus' name. *Amen.*

WITH TRUE PENITENCE

With true penitence we look to Thee for strength, our Father. In this day of grace we realize that some of our opportunities have been lost because of our own negligence. Make us mindful of our obligation to serve in new ways; revive our interest in the noble purpose of the Master. Where we are weak because of sin, we ask forgiveness; where we are blind because of ignorance, give us the desire for greater knowledge; where we are discouraged for any or for no reason, wilt Thou inspire.

Make us responsible for one another; give to us the kindness of Christ in dealing with those who are intolerant, and fill our hearts with respect for those who may differ from us. In the accomplishment of every purpose of this family we ask for spiritual and physical strength and for willingness to serve. In the name of our Master. *Amen.*

WHEN WE HAVE QUARRELLED

Dear Lord, we are sorry we acted rashly. Pardon us for harsh words; we did not mean what we said. Teach us how to be calm. Thou knowest the turmoil amidst which we have deliberately chosen to live. Thou knowest the perplexities of this hour.

Create in us a clean mind and heart; renew a right attitude within us. Help us to re-establish fellowship where we have broken it. Make us strong to bear the strain until we repair our relationships.

O God, teach us Thy way to peace and Christian understanding! Thou knowest the heartaches that beset us amidst the turmoil of everyday responsibilities. Make us steady and thoughtful; remove our instability and thoughtlessness.

Forgive us, Lord; and make us diligent in the pursuit of Thy will. O that we might find the Source of self-control and love that understands through patience! In Jesus' name we pray. *Amen.*

WHEN WE NEED REASSURANCE

Thou who dost sustain us through every hour of trial and in every time of need, give us faith to look up when it is so much easier to look down. Lead us into the activity of self-giving; remove our spiritual blindness that we may see the possibilities of the present. So may our attitudes be clear and firm that Thy Spirit may impress us with greater Christian experience.

In the sincerity of every effort to win others to the Christian way, may there come greater experiences for those who are willing to give of their time, thought and money. And as we realize that with the use of every talent we receive greater talents, may our zeal for increase bring forth a harvest in the light of Thy purpose. In the name of Christ we pray. *Amen.*

FOR RECONCILIATION

Our Father, so many times we have created turmoil and discord. We know that harmonious relationships have been damaged. Little children have been made unhappy by our dissension. Our thoughts have been distraught by our own childishness. Forgive us, Lord.

Where we have been stubborn and disagreeable, where we have acted rashly and heatedly, where we have been unkind or unreasonable, make us conscious of our short-sightedness. Make us penitent that we may forsake our petulance. Free us from the selfish attitude of having our own way. Teach us how to practice the art of sharing our opinions without animosity.

Make of our home situation a haven where the family may counsel and consider. May we seek to find Thy will in the operation of our practical relationships in a harmonious experience. And at the close of the day, may we seek Thy forgiveness as we forgive one another. This we ask in the Master's name. *Amen.*

WHEN WE SUFFER

Father of all life, strengthen us that we may bear our suffering with patience. May we be able to see the designs of Thy love in the darkness of every sorrow and through the mist of every difficulty. May we seek to know that Thou art concerned with our human frailties, our common weakness. Grant us faith as a lamp of steadfast direction.

Bless this home with diligent labors so that the Spirit of Christ may become more and more evident through our reaction to what happens to us. Consecrate our time with reassuring fruits of honest effort. Make us to know that we cannot accept any suffering as final. We pray that with each temporary depression of spirit or shattering pain Thou wilt renew our determination to keep our minds clear and our attitudes positive and brave.

Grant that the anchors of our hope may ever be cast beneath the steady shoals of Thy care that is eternal and abiding. Increase our faith in Thee; through Jesus Christ our Lord. *Amen.*

For the Challenges of Life

ADVANCING THE PAST

We thank thee, our Father, for the loyalty of loved ones who have lived among us in the past. Make us bountiful in the continuance of the work they have begun; strengthen the talents with which we seek to further the interests of this home in the midst of great opportunity.

Give us resolution and insight, that our interest may not flag, that our purpose may come from Thee. Endue us with physical strength.

May we look to Thee as we pass into the work which was begun by others. And as the path levels under our feet, teach us the humility of Him who made every land a highway of truth, leading unto Thee. Through Jesus Christ our Lord. *Amen.*

ADVENTUROUS LIVING

Our Father, who dost regard the supplication of Thy children, and who art the ever-present help of all who seek Thy guidance, hear our prayer. Make known the way of

Thy truth, that every today may be an opportunity and every tomorrow an accomplishment for Thy Kingdom.

In every trust, great or small, may we behold how pleasing it is for our family to dwell together in the spirit of unity and peace, blessing and benevolence.

May we use our trust in the spirit of Christian adventure, knowing that Thy approval is upon it; give it meaning and force through sharing and good will. Let not prejudice or pettiness set up a stumbling block. We ask it in His name. *Amen.*

"BE STILL AND KNOW"

Thou dost speak to us out of the silence of the morning. Speak to us through this day. May we listen to the reassurance of these realities that place our minds in the channels of Thy Spirit. Make our hearts steady and brave in the face of difficulties, that we may know Thee. In the name of Christ we pray. *Amen.*

FOR BROTHERHOOD

Our Father, with grateful thoughts we aspire to serve Thee. With minds that seek to know more of the attitude of the pilgrim whose harvest was found in gratitude to Thee; with nobility of purpose, in spite of failures along the way, we give Thee thanks. Where there are heavy hearts, bless and strengthen; where hunger stalks because of "man's inhumanity to man," suffer us not to fall away in selfishness. But may we minister dutifully and willingly, binding up the torn places and destroying hatred by love.

When the harvest of our deeds is reaped, may there be some fruits of Thy Spirit. And with the cessation of the agonies of suffering, may the calm of Thy peace rest upon our brows. Give us patience in living together peacefully. Grant us swiftness in our promotion of the purpose of Jesus.

May every day be one of thanksgiving and gratitude for the wonders Thou hast wrought. And as we face the future, with the responsibility for helping our family toward spiritual unity, make us more attentive to lifting our spiritual levels by sharing Thy trust. In the name of Christ. *Amen.*

FOR CHRISTIAN CONCERN

Dear Lord and Father, we have a new day before us; Thou hast given so freely of every beauty which surrounds us. We bow to share in His humility; may our family lift our goals and increase our efforts in greater service.

In the use of leisure we need Thy Spirit; and in our work we ask Thy direction. May we have self-confidence, but may Thy Spirit free us from overconfidence that drives into self-righteousness. In the midst of so many prejudices, we feel so weak; give us the spiritual strength to ward off complacency which is destructive to the best there is in us.

May we be more concerned for our fellow men who are inadequately provided for in their physical and spiritual lives. Where war has devastated, teach us to minister by means of our material possessions; and give us the sense of having served with those who labor for the coming of the Kingdom in the lives of all men. In the Spirit of the Master we pray. *Amen.*

FOR THE CHRISTIAN OUTLOOK

Our Heavenly Father, we are grateful that Thou hast given us a part in the building of better family relations. In this opportunity which challenges us to deeper loyalty and consecrated determination, may Thy Spirit guide. Blot out our selfishness and enable us to consecrate our home to Christian usefulness.

Teach us to find the way to life, though it may lead into many a wilderness and through many Gethsemanes. Strengthen our faith and enable us to follow the path of the Christ whose feet have climbed the rocky steeps in our behalf.

Vouchsafe Thine aid to those who suffer. Speak to us that we may be able to cleanse our lives through diligent application of Christian attitudes flowing from the love of Christ which constraineth us. In the Master's name we pray. *Amen.*

FOR CREATIVE MINDS

Our Father in heaven, we come in trustfulness and purposefulness to ask again Thy blessing upon Thy children in the service of Thy Kingdom. Give us creative minds and sincere hearts for the task of the day. Add the divine zest to every effort. When duty calls, make us willing to comply with its demand cheerfully and reverently.

In the stillness of the morning, we feel that Thou dost speak in special ways; give us ears to hear Thy voice. In the seeking attitude, strengthen our desire for the noble fellowship of Christ.

Grant to this family the unselfish determination to do Thy will. Make us quick to discern the needs of the hour wherein our service is needed. May Thy spirit continually abide with all who in any way seek to do something for the accomplishment of righteousness and justice. We pray in the name of Jesus Christ our Lord. *Amen.*

FOR DILIGENCE

Thou who art the source of our strength, the fount of all wisdom, the solace of our sorrows: grant to each of Thy children the spirit of understanding and sympathy. As Thou dost reach into our lives with the blessing of hope and the faith which believes in the future, so may we touch Thy purpose with the response of unselfish service.

We would learn of Thee: grant us diligence; we would lift others into the light of Thy presence: inspire us with strength for every privilege. May we not falter in this hour of destiny.

Thy grace has touched our hearts with noble purpose; sustain our trust in this great power, and so direct our hearts and minds in the paths of the divine compulsion that Thy Kingdom may come on earth, even as it is in heaven; through Jesus Christ our Lord. *Amen.*

FOR DIRECTION

Our Father, this new day demands more unselfish service than we possess. Invest us with the spirit of Him who came to give unstintedly of the power to achieve purpose. May the effort we put forth as a family be consecrated with richer experiences of having understood Thy will.

May we not fall away unable to meet the spiritual requirements of the day in which we live; but may our devotion to every task lead nearer and yet nearer to the Source of all wisdom beyond our own. Direct our thoughts and clear our vision, so that the goals we strive to reach may never fade.

In the work of this day may we find satisfaction; but in this our home where we find Thee in a special sense, make us conscious of our interdependence. In our unworthiness, may we discover the opportunity of sharing in the blessings of communion with Thee. In the name of Christ we pray. *Amen.*

GOD'S ETERNAL LOVE

Thou God of love, whose mercy brightens this benighted way, call forth our souls that their kindred fellowship may help to make lighter the woes of this earth. By Thy wisdom we would seek to know more of our part in the work of setting forth Thy will that our spiritual privileges may become blessings to others whose confidence abides in the goodness of Christian service.

Thou hast taught us that chance and change have no effect upon Thy love; be Thou our guide in every hour, our hope in times of disillusionment. Make us to know that from the mist of blinding doubts there comes the clarity of Thy continued blessing. Confront us with the needs of our generation, that our hearts of compassion and love may find peace through increasingly meaningful fellowship with Thee. In Jesus' name we pray. *Amen.*

FOR THE GREATER GOOD OF ALL

Our Father, in the serenity of Thy Spirit, we seek anew those blessings of fellowship with Christ. Amidst the din and strife of the world we seek the calm assurance of Thy presence through Him.

Grant us the will to live for the greater good of all; fill our minds with an incentive to noble deeds. Give us the grace to say "Yes" or to say "No" with sincerity, when in the course of responsibility we should. And give to the affirmations of our wills the expressiveness of Christian purpose.

May the quest in which all trustworthy persons are engaged be directed by Thy Spirit. Blot out our selfishness that we may serve; remove our greed that we may share; free us from pettiness that we may be neighborly. In the Spirit of Christ we pray. *Amen.*

FOR GUIDANCE

Search us, O Lord, and make us mindful of our obligation to serve Thee with our whole heart. Remove from us any foreign element or thought which might hinder our communion with Thee. Make our family useful and loyal.

May we consider the outreach of Thy Spirit in the day's work; endow us with ability to harness spiritual resources that are available. Speak to us as we listen more attentively to Thy call.

May the earnestness of our hearts issue forth into the practical life and thus serve the persons who live in this home. Make us less selfish as we seek to understand one another. This we ask in the name of Jesus Christ our Lord. *Amen.*

FOR HIGHER IDEALS

We look to Thee, our Father, for greater usefulness and more efficient labors, which shall be exceeding and abundant above all that we may comprehend. Grant that this fellowship of communion and loyalty may exalt Christ.

Grant us the power to stand against the lower levels that the higher ideals may come into the plans and purposes of every life. Endow our family with hope which "springs eternal"; fortify all families with the unselfish Spirit of the Christ who gave and who gives all for the success of Thy Kingdom in the hearts of people.

Make us obedient to every heavenly vision, and grant us the reality of that love which is attainable only through the practice of the presence of Jesus Christ our Lord. *Amen.*

THIS HOME AND ALL HOMES

Dear Lord and Father of all people, accept our thanks for the home in which we live. It comes to us from Thy hand. May our thoughts be centered upon her who is the light and life of home, our mother. Her devotion to the children, her unselfish spirit, her unquenchable faith in us—though many times we have not been worthy of it—her prayers to Thee in behalf of her children; in all these may we see the semblance of Thy care for us.

Bless the homes of all people. Where there is poverty and a lack of the necessities of life, may our compassion be converted into provision for the need. Where there are broken homes through disobedience, grant a sense of the renewed obligation on the part of child for parent and of parent for child. Thou knowest the perplexing situations of this great day. Strengthen the character of all who live within the fold of the human family, that we may better serve in the home which Thou hast prepared for those who love Thee; through Jesus Christ our Lord. *Amen.*

FOR LEADERSHIP

Lord of life, we look to Thee for the spirit of leadership. Let not the destitution of our souls impair the progress of spiritual insight. May that guidance which came to those of old come anew into our lives. As that experience which Thou didst give to them has been our inspiration, so may our communion with Thee be shared through growing concern for the increase of Christian fellowship.

Make us more worthy of living for the principles for which so many have given their lives. Bless our nation with responsibility for serving its people. As Thou hast taught, so may we learn that true greatness is found in unfaltering and willing service. Through Jesus Christ our Lord. *Amen.*

FOR LOYALTY

Our Father, Thou hast not dealt with us according to our merit, but according to Thy mercy and love. We are not worthy to be called Thy children, but we have within our souls that kinship which reaches out toward Thy purpose through a common faith.

May our fears give way to that which unites; and in the

greater consciousness of Thy presence, may we renew our resolves to follow the way our Saviour has shown.

Give us the zeal which is according to knowledge of Christian principles; and when our faith burns low, teach us to hold fast our loyalty. In the name of Christ we pray. *Amen.*

FOR LOYALTY IN THE HOME

Our Heavenly Father, we adore Thee, we praise Thee, we worship Thee. We give thanks to Thee for Thy blessings that are showered upon us beyond any deserving. In the midst of the years, we would ask that Thy name be revered in our home.

We pray that the guidance and influence of Thy Holy Spirit may permeate the outreach of every thought, word, and act. Free us from the fetters of sin; replenish our insights, that we may be used of Thee to give guidance to the needy world in which we dwell.

We have failed in so many places! Help us to make amends, to improve our relationships, to be more loyal. Strengthen our faith; inspire us to do Thy bidding. Reassure us through Thy love; make us forgiving and sympathetic. Use us for Thy glory. This we ask in the name of Jesus Christ our Lord. *Amen.*

FOR MORAL RESPONSIBILITY

Our Father, from whom we receive the food which abideth and giveth life eternal, we give Thee thanks for this trysting place of true worship. We know Thou art present as we lift to Thee our prayers. May we be Thine in every desire of our hearts.

Magnify Thy truth through us, that it may not return unto Thee void; inspire us with the trust of patience, the attitude of humility, the power of brotherliness. Destroy whatever of the unkind or the uncharitable there may be among us.

Renew our interest in the social and moral responsibilities which rest so heavily upon us. May we never lose sight of Thy will in the making of the laws of our state and nation, in the making of the peace of the world, and in the compulsion of leading men into more vital experiences of the Christian life. In Jesus' name we pray. *Amen.*

FOR NOBLE LIVING

Our Father, may we take Thy Word into our hearts that our souls may be fed. In our higher moments may we be better able to see Thy will for us. Give us the strength to climb the steeps to the spiritual pinnacle we cannot see. By faith which only Thou canst supply, may we attain the heights of noble living.

Thy truth impresses us with the responsibility to press on toward the marks of spiritual achievement. When the impress of Christian character makes our pathway plain, steady us that we may see the constancy of Thy truth.

May Thy love redeem us from selfishness and strife. Give us insight and power with which to make good the opportunities that are ahead in family worship. May we as members of this family put forth greater effort with deeper consecration. In the name of Christ. *Amen.*

FOR PEACE IN THE HOME

Thou who didst send the Christ into the world to bring light and immortality to light, come into our lives at this sacred hour. Fill our minds with His knowledge. Give us a portion of His Spirit, and use us in ways that shall add beauty and comfort to the lives of our loved ones.

As we gather for the adoration and praise of this Child, may we see Thy glory. May His love disperse the shadows. Bring into our homes and communities the benevolence of His care. Renew our desire for spiritual goals which are higher than any we have accomplished. May the members of the family go forth unselfishly to live for the ideals for which He gave His life.

May Thy peace rest continually upon the national and international relationships of mankind. Deliver us from hatred. We ask it all in the name of Him who is the Prince of Peace, even Jesus Christ our Lord. *Amen.*

PREPARATION OF SPIRIT

We look to Thee, our Father, for an understanding heart. May the strength of Thy love inspire us for the work of this new day. Should our way be fraught by wavering doubts and weak motives, we beseech thee to increase our fervor through steadfast hope as we look to the future with its unexplored possibilities.

Give us courage to venture forth into the trust of usefulness, in the spirit of the single sight; for we are unable to do Thy work without this hope. Make us thoughtful and sincere in every attempt to follow in the Spirit of the Master.

We pray for willing minds and ready hands, for high aims and growing faith. May we not be content to walk within the shadows of mediocrity; increase our desire to do more than is required; through Jesus Christ our Lord. *Amen.*

FOR PROGRESS

Our Father, awake us to the challenge of this hour. May we know that our accomplishments for Thee are limited largely by the goals we set. Give us faith to venture into paths of progress through consecrated effort. In all the work Thou hast given, may we invest the spirit of willingness and obedience.

In the plenitude of Thy mercy and love, and by the spiritual strength of those who have gone before, there is no failure. We dare not trust only in ourselves; but, with humility and faith, we find our strength through Christ, for whose sake we pray. *Amen.*

FOR PURE MOTIVES

Dear Lord and Father, speak to us through the reassurance of Thy presence. Make us to feel that Thou art nearer than breathing. Let not our spiritual motives waver; but may they be strengthened by the effort to find out what we believe is Thy will for us as a family. Give us discernment that we may know the depth of true spirituality; free us from superstition or undisciplined emotionalism. Steady our souls so that the shining ray of new hope may shine forth from the recesses of our souls.

Endow our lives with the purpose which caused our

blessed Lord to "steadfastly set his face to go to Jerusalem."
May we search diligently for the greater and nobler ac-
complishments of every expression of Thy will for us.
Purify our motives; through Jesus Christ our Lord. *Amen.*

PURPOSEFULNESS

Our Father, we know that Thou didst create this beautiful world; Thou art still creating. May we feel Thy presence. Teach us how to plan our lives. May Thy providence
awaken our responsibility; may we so devote our lives to
Thy purpose as to bring more of the attitude of Christ into
our hearts.

Forgive our negligence, our fickleness, our discouragement. Strengthen our wills in the direction of the Christian
Way. Let not hesitation or uncertainty linger too long in
our minds. Grant us vision to discern the road ahead. May
our lives be planned as Thou dost plan, our work as Thine;
and O Lord, we pray that Thou wilt make us steadfast;
through Jesus Christ our Lord. *Amen.*

FOR PURPOSEFULNESS AND ASSURANCE

Unto Thee, our Father, we offer praise and thanks for
Thy great mercy. We are not able to face this day without
the assurance of Thy presence. Abide in our hearts, accompany us in our thinking, and endow us with strength for the
privilege which is ours in the midst of all that is before us.

Help us to live positively and sincerely through every
difficult situation, looking unto Thee for sustenance and
encouragement. Thou hast spoken to us in so many ways;
may we answer with the service of willing lives and con-

secrated hearts that all life may have meaning; through Jesus Christ our Lord. *Amen.*

FOR RESPONSIBILITY

Our Father, as Thou hast entrusted to us new life in Christ, so may we devote our lives to Thy work with more diligence and eager responsibility. In this time of worship, help us to plan with care and thoroughness.

In willing effort and patient toil, in sincerity of heart and purity of life, in unselfish service to our friends who need encouragement—may we give our all. Make us to know that we have a responsibility even for our enemies in returning righteousness for pettiness. And as our lives are involved with others, may we encourage one another.

Bless our efforts as we seek higher goals. We know we cannot walk alone; be Thou our companion. May the love of Christ inspire and constrain us in every attempt to be better workers in all that we have to do. May every relationship bind us together in winning a world for Thee. We ask this in the name of Christ. *Amen.*

PASSING THE TORCH OF SERVICE

Eternal God, from whom we have received this trust, make glad our hearts as we pass on the torch of service by holding it high, that our children may see the way into which Thou art calling us. Speak to us that we may go forward in the steadiness of Thy purpose. Let not our selfish will destroy the brilliance of the glory that is found through obedience to Thy call.

May we answer with lives of devotion and thoughtful seeking, with the Spirit of the Christ who came to be the servant of all.

Thou hast trusted us with so much; may we restore much. Thou hast made possible life abundant; may we share it, in the name of Jesus Christ our Lord. *Amen.*

FOR SHARING LIVES

Our Father, make our lives more meaningful to others. In giving ourselves to the work of Thy Kingdom, may we know that anything we do for those who are in need is a ministry of love for Thee.

We thank Thee for the plenteous blessings which are ours to share; fill us with the desire to share in thoughtfulness, in kindliness, in beneficial ways which bring joy and comfort and consolation to all persons.

May this ministry of love impress us with the obligation to have the same regard for our brethren that we have for ourselves. And may the fruits of such service be manifested in lives that are acceptable to Thee; through Jesus Christ our Lord. *Amen.*

FOR SPIRITUAL EFFICIENCY

Our Father, give us the understanding heart; grant us insight for true appreciation of the strength which Thou alone canst supply. Continue to us Thy favor as we seek to know the depths of the knowledge of Christian experience and true godliness. Invest our souls with the desire for spiritual efficiency and fervent devotion to doing the things that matter.

Thou knowest the longings of every heart, the veritable needs of every earnest seeker. Let the light of Thy love abide upon every heavy-laden life. We know Thou art present in the stillness of the quiet moment wherein the message of peace and fellowship lingers to reassure and confirm. So may our lives continue in usefulness and service, in the building of Thy world according to Thy plan. Through Jesus Christ our Lord. *Amen.*

FOR STEWARDSHIP

Dear Lord, in these days of opportunity we call upon Thee with a greater desire to be more useful in the work Thou hast given. Make us capable of the honors and privileges which come in the day's work. May we realize that Thou art the owner of all things and that we are Thy stewards.

When there is a better way of doing Thy work, may we readily discover and apply the necessary talents Thou hast given.

May we accept the moral obligation of becoming more informed. May we so understand our loved ones that our sharing will be an expression of the love of the Master.

Grant us an appreciation of all spiritual benefits. In the name of Christ we pray. *Amen.*

FOR STRENGTH

Dear Father, when we think of the constancy of Thy creative power, we are inspired to think steadily and to live nobly. When we experience the fellowship of communion with one another, our lives become more fruitful. We know Thou hast led us to greater experiences through Thy grace.

Take our talents and increase them for Thy glory. Strengthen our bodies with a resurgence of spiritual power and brotherly kindness.

When we are blinded by prejudice or weakened by animosity, teach us how to repent of our shortsightedness that we may return to the fold of Thy forgiving love. Increase our insights; enlighten our minds; strengthen our power of discernment for spiritual meaning.

Deliver us from the weakening blight of selfish aggrandizement, the destructiveness of stubborn denial of the best. Release our latent powers that we may use them as Thou wouldst have us invest them. In the Master's name we pray. *Amen.*

WHEN WE NEED STRENGTH TO SERVE

We look to Thee, our Father, for the spiritual tides that are so necessary to the flats of life. In the morning we feel Thou art so near; may we grasp the benefits of these moments of meditation. Send us forth from the mountaintops with strength for the valleys of service beyond measure.

Thou art so wonderful in the use Thou dost make of all who yield themselves to every great task. May we not be content with lives of mediocrity; increase our spiritual reach that we may grasp the privilege of diligent service.

Make real to us the guidance of Thy Spirit as it is so

beautifully given through the Person and work of our blessed Lord, in whose name we pray. *Amen.*

FOR THOSE WHO SUFFER

Our Father and our God, wherever humanity suffers may we serve in the name of Christ. Where the child who has known nothing but war and bloodshed lives, may we do something to help re-establish home relationships. And where we cannot go, teach us to give generously.

Teach us that only as we endeavor in humility to help in the lifting of their burdens can we carry our own. Go with us in this fellowship with those whose homes have been destroyed; where the bricks of life have fallen down, may we build with the hewn stones of Thy spiritual quarries.

As we pray for others may the compassion of Christ unite our efforts to build Christian homes. May we become more useful to our neighbors through comforting those who are heavy-laden. Preserve our faith in the ultimate redemption of Christ in whose name we pray. *Amen.*

THY WILL BE DONE

Our Father, wise provider for our every concern and revealer of all life's meanings, we are Thy children because of Thy love for us.

Thou hast spoken so clearly about Thy plans for us; may we listen. Forgive our lack of spirituality; may we learn to depend upon Thee for the power to lift us above the placid helplessness of everyday complacency. Make of our lives the outreaching and undergirding force that brings our family into close fellowship with one another and with

Thee. May the creation of every noble purpose become the goal toward which we strive.

Fulfill all sincere desires and bless all efforts that look toward understanding and the relief of suffering in our world. As we plan and serve may we always be grateful for the privilege we have of adding reality through the experience of Jesus Christ.

In humility and gratitude, in faith and thanksgiving, in sincerity and devotion—in all values which come to us through Thy care—may we discover what is Thy will for us; and may we do it. Increase our fellowship through greater interests and higher ideals, that our daily lives may give to others a portion of that which we have received from Thee. Through Jesus Christ our Lord. *Amen.*

FOR UNITY

Thou Giver of life with all of its meaning and true purpose, accept our thanks for the many victories of this home which have come through Thy love for it. As Thou hast planted love for it in the hearts of the members who have persevered, so may we share in this benevolent cause of the promotion of the Christian gospel.

Unite us as we assume new responsibilities and take upon ourselves the obligations of preparing for the work of the present which may better serve coming generations.

May Thy spirit permeate our effort, Thy grace give strength to our faith, Thy purpose give direction to our ideals. Grant that there may never be limitations upon the influence of Christian obligations we have assumed; through Jesus Christ our Lord. *Amen.*

FOR USEFULNESS

Lord of our lives, awaken within us the desire for lives of greater usefulness. Thou hast made us for the completion of Thy great design; show us how to weave the pattern with diligence. Bring meaning and significance to our thoughts that we may have a sense of accomplishment, even as a little child finds joy in his work.

Enlarge the fellowship of our concern for the duties we are facing. Brighten our faith; remove from us the cloud of despair. And where we have work to do or loads to lift or problems to solve or questions to answer, equip us for the testing time. Make us useful. Give us the companionship of Thy Spirit, that we may ever remain faithful to the task of this and every time. And as night comes on and our work is done, grant us a sense of peace in the knowledge that we have tried to do our best. In Thy name. *Amen.*

FINDING TRUE VALUES

Gracious Father, make us servants of Thine; unite us with Thy love and purpose. Remove any selfish solicitudes, that the altruism of Christ may infuse our hearts. Make us generous as we consider the need of our world; and, if there be any trace of pettiness, may we repent of it.

We cannot find the true values of life without Thee; our vision is obscured when we are not willing to wait for Thy revelation of truth; help us to consider and to ponder, to think on these things that are so necessary to our spiritual welfare. May we feel Thy presence as the day's work is done, so that it may be better for those who follow us in the succession of laborers for the greater work of the Christ. In His name we pray. *Amen.*

Our Father, we hunger for a world that is guided by a purpose. Our aims are ever stretching in the direction given through the divine ideal of Christ. And yet, we feel the futility which alone is ours. Our lives are inconsistent when human strength is not accompanied by Thy guidance.

May the "betterness" of Christ become our possession, so that the quality of every life may reach upward for the fellowship of an order which belongs only to Thee.

Grant unto those who bear the responsibility for the setting of the goals of the future the attitude of unselfish effort. May they feel Thy presence as they do this work. Give them courage to face the facts and to exercise the wisdom which comes only from Thee. And in the doing of every task may there be the willingness of love. Through Jesus Christ our Lord. *Amen.*

Almighty God, from whom all wise counsels and holy revelations proceed, we beseech Thee that Thou wilt be present with us in all endeavors for the promotion of truth and love, justice and peace. Make us wise in every decision for the work of this day; let not our zeal overcome our knowledge, but make real the thoughtful attitudes which move us to serve.

We would dedicate our lives to Thee in the fulfillment of the task ahead, whatever it may be. Increase our desire for divine insights which make life sincere and noble in all its worth. We bless Thee that this world is Thy creation in all its boundless, rich, and abundant resources. May we share it with all who seek to use it for Thy glory. In our Redeemer's name. *Amen.*

For Special Days and Occasions

Thou who hast sent light into the hearts of all, fill us with the love which Thy bounty has shared through Bethlehem's cradle. In the warmth of Thy Spirit, we feel nearer to one another; may we approach the peace which He has brought to all who receive Him.

May this season be one which creates within each mind the knowledge of Thy way; rekindle the desire for nobler service to the weak and the helpless of Thine eternity-bound children. May our sentimental expressions find their goals through service to many who are less fortunate than we; and, through gift and kindness alike, make real the Spirit of Christ.

Especially would we remember those of other lands where there is poverty, and where so little is given to meet the great emergency. Give to our nation and others the spirit of generosity. Make us conscious of the obligation we have of sharing to the uttermost. May we not rest until we shall have found Thine approval in the words of Him who said, "Inasmuch as ye have done it unto one of the least of these my brethren, ye have done it unto me." In His name we pray. *Amen.*

WE FOLLOW THE STAR

Eternal and merciful God, who didst reveal Thyself in human form, grant us the vision to see the star of hope. In this holy season, make of our hearts the receptive fellowship of love and adoration as we look upon this holy scene. Give to all mankind the Spirit of the Christ Child, that hatred and greed and avarice may melt away. Thou art sufficient for the hopes and plans for the future of this world and of that which is to come.

May we see peace on earth, and fulfill Thy plans for a warless world. Go before us in the assurance of redemptive sharing and fill our hearts with gratitude for the gift of Thy Son; in the joyous melodies may our hearts find room for every kindly attitude, promoting helpful and sincere preparation for Thy Kingdom's coming. Free us from pettiness, that the steps of all who follow the gleam of Bethlehem's star may find the brightness of His glory; through Jesus Christ our Lord. *Amen.*

A CHRISTMAS PRAYER

Thou didst send to us that supreme revelation of Thy love in the form of the Babe of Bethlehem. He has shown us who Thou art; His way is so clear to our needy souls. In Him we find that life which is eternal truth revealed through obedience and humility.

In this season of childhood, make us sensitive to the great spiritual realities of the nativity of our blessed Lord. Through His poverty, men have seen His riches above all measure; through His humility, may we see Thy will for us. And though our wisdom is lacking when compared with His redemption, may we know that His presence is the low whisper, bringing to mankind the good will of divine friendship.

Bring peace to the hearts of all people of this earth as it struggles toward a peaceful world; implant the spirit of calmness in the lives of our national and international leaders, that the influence of this holy season may reveal the steadfast certainties of Christian faith. We pray that the reverence of this great spirit might envelop our thoughts of Thy purpose for us. In Jesus' name we pray. *Amen.*

AN EASTER PRAYER

Thou Giver of life and light and love, speak to us through the springtime of renewed experiences. We face this day with hope and faith that somehow beyond our own ken and beyond all mystery Thou hast shown us the beauty of the unrevealed. The unseen is so wonderful! Thou art so gracious to our souls, so patient in our discouragements!

Bring us closer to Thee through the nearness of Jesus Christ who reigns in every Eastertide and in every life that is open to Him. Bring peace to our world, though conflict be present; let not a sense of depression blind us to the reality of this Easter morning. Make real the beyondness in the present day's hope that all who look to Thee may be blessed by Thy love; through Jesus Christ, our Redeemer. *Amen.*

THIS EASTER DAY

O God, our Father, who didst bring from the shadows of defeat the victory of life eternal: we give Thee thanks for this faith in life's greater possibilities.

Increase our desire to make the lives of benighted souls more cheerful through the sharing of this faith. Thou didst bring immortality to light through the gospel; grant to us its meaning. So may we live as children of Thine, manifesting Thy presence through every living moment.

In the beauty of this Easter Day, help us to find the place for special devotion. Consecrate our lives to the sharing of this hope with all whose lives are desolate; give us great thoughts that our deeds may proceed from motives that are pure. In the name of the risen Christ we pray. *Amen.*

FOR MOTHER'S DAY

Our Father, we are grateful for mothers whose love is akin to Thine. For quiet and modest lives, whose willing hands and sincere faces have never fought for fame and place for themselves; for souls whose greatest happiness is found in service for their children—we give Thee thanks. Thou hast, through these lives, brought the very heavens upon the way of every child entrusted to their kindly care. May their number increase.

This day we have set apart for the special honor of these angels of earth. Make it meaningful to them through us.

May these little tokens of thoughtfulness which we bestow upon their remaining years with us have special significance for them and for us their children.

In many a heart the memories cherished are so vivid, so sacred. These flowers we wear have reminded us of the purity of their lives, gone on toward the Light, made beautiful through faith in the Christ, in whose name we pray. *Amen.*

INDEPENDENCE AND INTERDEPENDENCE

We would approach Thee in the attitude of penitence, our Father, giving thanks for Thy great mercy. Thou hast taught us that independence is the possession of those who are interdependent. And so we call upon Thee in the interest of all who labor for the peace of the world. We are not self-sufficient; our hands are weak without Thy strength.

Thou hast blessed our country with greatness; make us worthy of it. Bring to each penitent heart the realization of Thy great love for all nations. Give us great statesmen, that the power of hatred or revenge may be replaced by the sacrifices necessary to the peace of the world. For every sacrifice may there come to every citizen of every nation the reminder of Thy will through mutual understanding; so that our swords may become instruments of life and our spears the gatherers of the food which gives promise of the dawn of Thy Kingdom in our midst; through Jesus Christ our Lord. *Amen.*

THANKSGIVING

Almighty God, our heavenly Father, accept our humble gratitude for days and moments set aside for worship, and for the light of devotion in human hearts which brings unity, making whole our fellowship with one another and with Thee.

We give thanks for health and strength, for insight and spiritual discernment, and the attitude of the upward look. May Thy blessings remind us of the obligation to serve Thee steadfastly and with devotion in every opportunity.

Forbid that we should look upon life as circumscribed by anything aside from Thy love; disturb us with the increasing exertion for power to assist our neighbors that they, too, may receive and share the benefits we enjoy because of Thy bounty.

We thank Thee for the gospel and its power to work in the lives of persons; may its influence be dominant in the plans for the peace of our world. Grant us Thy sustaining grace to live in the atmosphere of thanksgiving every day; through Jesus Christ our Lord. *Amen.*

THANKSGIVING AND PRAISE

O God, who seekest Thy children even before they are conscious of the quest, we praise Thee in the blessings through which Thy grace comes into our home. Thou hast made the dullness of our lives to give way to incisiveness in the things that make for the greater designs of Thy purpose. Free us from the sin of indecision and wavering doubt.

Send forth the light of Thy Spirit that we, as those who bear the lamp of truth, may obliterate the darkness of sin. Make us aware of acceptance with Thee in the life of our home.

May the positive attitude of Christ and His constraining

love direct our minds as we seek the solution of the difficult problems of our time. Inspire our statesmen with an active knowledge of Thy truth, that they may realize the greatness which comes through unselfish service to all; through Jesus Christ our Lord. *Amen.*

WHEN A NEW BABY COMES

Our Father, Thou hast entrusted to us a new life. This little child who has come to live in our home brings to us a new realization of our responsibility to live nobly. Help us to train it in the nurture and admonition of Thy love; may we never forsake the plan Thou hast for it. Inspire us with wisdom to train it gently and lovingly; may it never be disappointed in us because of any careless or slipshod living.

May our example as parents cause this child to want to be the kind of person Jesus exemplified. Guard and protect it as it grows and develops and achieves. Strengthen its body; inspire its mind; enlighten its understanding.

May we as parents know the way and practice our religion in such manner that the feet of this child may not slip from the path of Thy love and care. Help us to be diligent and kind in our discipline and wise in our counsel. May we recognize the sacredness of this little person who unfolds to Thy love as a flower responds to the rays of the sun. In Thy name we pray. *Amen.*

WHEN A CHILD GOES OFF TO SCHOOL

Heavenly Father, Thou hast blessed our home with the presence of a little child. We have been delighted and made happy by the growth and development of his spiritual life and personality. Our hearts have been inspired by the innocence of childhood, the adventure of youth. And now, our Father, this child has grown to be a youth.

As this youth goes away to school, we pray that Thy guiding love may accompany him. Guard and keep this child from the fears of the day, the terrors of evil. Make strong his love for Thee, his devotion to all persons. Bless the teachers who seek to help him in the development of sound scholarship and Christian character. Inspire them with wisdom.

We pray for the grace to accept this transition from home to school as a part of Thy great plan in the growth and development of young life. Free us from any temptation to overpossessiveness; grant that we may not bind the life of this student with overadvice or crippling sensitiveness. May we allow freedom for the development of his initiative. So may we live that our lives may be an invitation to all youth to find the secret of Thy presence.

Bless our son with health. Grant him diligence in the pursuit of knowledge. May he learn the unselfish art of friendship. In the Master's name we pray. *Amen.*

FOR OUR STUDENTS

We bow in Thy presence, our Father, mindful of every good and perfect blessing which has come to us from Thy hand. Magnify our gratitude, that we may pass on to others the attitude of the Christ whom we adore. Increase our desire for knowledge and its proper uses.

Bless those whose lives are dedicated to the cause of true

education and character building; may their efforts promote the spread of the gospel of Christian living through unselfishness and kindly spirit. Strengthen our hope and confidence in the things that matter in the building of a better world.

May the influence of this home be steadfast and meaningful in the lives of our students whose years are now given to preparation; give them health and physical strength that their mental powers and talents may be instruments of Thy divine purpose. We thank Thee for their faith in Thee; may it grow with the years, approaching the measure of the stature of the fulness of Christ, in whose name we pray. *Amen.*

WHEN SERVICEMEN RETURN

Gracious Lord, we face the present with renewed interest and calm resolution; but we cannot travel spiritually without Thee. Our hands are not free to do the work of this day unless our spirits are girded with a clear view of our loved ones. Sustain us in the hours when discouragement lurks in the shadows of defeat. May we know that eyes blinded by things cannot see Thy truth.

When we consider our lives in relation to Thine, our selfishness is burned out. Make us more diligent in the performance of great tasks for Thee; and so guide us that our tasks may cease to be burdens and become divine privileges.

As our sons and daughters who have served their country well are returning to us, make us more worthy of them. May they be absorbed by those spiritual institutions which are eternal; and may we welcome them to our homes which have not lost sight of the ideals for which they have given unselfish service. We remember those who may never return; and as the emptiness of our hearts is filled by Thy mercy, we pray for strength to build a peaceful world. In the name of Christ. *Amen.*

WHEN WE GO ON VACATION

Our Father, as we begin the trips that will carry us to many destinations, we pause to ask Thy guidance. Grant that we may be used to make the highways safe for all who travel. Help us to be courteous in sharing the road and patient in the necessary caution for the protection of all travelers.

May this trip be of significance in building up our strength for the work we are to do through the coming year. Continue to bless us with creative minds and sincere imagination that we may know more and more of the beauties that are evident on every hillside, in every mountain peak, in the sands of the seashore and upon the blue ocean.

Give rest to all who share in the privilege of this season's blessings; make us useful that we may mean more to those who are at home. Bless them with Thy presence as they toil for the good things of life. May their hospitality and ours be meaningful to everyone; through Jesus Christ our Lord. *Amen.*

Part II
TABLE GRACES

Morning Graces

Our Father, continue to all Thy children the blessing of food, the protection of clothing. We are grateful for this and every blessing. *Amen.*

Heavenly Father, we are rejoicing that Thou dost provide for our need by giving us good food. Bless us as we eat and make us conscious of sharing with others the blessings we have received. *Amen.*

Lord, be with us as we eat the bread Thou dost provide. May we share with all the fellowship of love we find in Thee. With grateful hearts, we come seeking Thy presence. *Amen.*

Our Father, we are grateful for this meal; Thou hast so kindly given the sustaining strength that it provides in the nourishment of our lives. We are Thine. *Amen.*

Lord of life, Giver of every blessing, we are the beneficiaries of this expression of Thy loving-kindness. Thou hast always provided for us, even before we asked. For Thy love we are grateful. *Amen.*

Thy love sustains us through every morsel. May we dedicate anew our lives to greater usefulness in all Thou hast for our responsibility. In His name we pray. *Amen.*

Our Father in heaven, we offer unto Thee our gratitude for health and strength and the food that makes us strong to do Thy bidding. Bless us as we share the fellowship of this family. *Amen.*

O Lord, Thou art ever conscious of our need. Thou hast blessed us with this food. And now we seek to offer unto Thee our thanks for every kind provision of Thy bounty. *Amen.*

Our Father, whose generosity is immeasurable, we lift our hearts to Thee in thanksgiving for this food. May we use it for the nourishment of our bodies and the strengthening of our lives. *Amen.*

Lord of life, Thou art the strength of our lives. Thou hast blessed us beyond all our deserving. We praise Thee for every provision. Accept our gratitude; through Christ our Lord. *Amen.*

O Lord our Lord, how wonderful are all Thy benefits to us! In gratitude to Thee, we approach this table and ask for Thy presence, for the bread that sustains our bodies. Make us truly grateful. In Thy name we pray. *Amen.*

We rejoice, our Father, that Thou hast provided for our physical nourishment as well as for our spiritual needs. Make us humbly grateful for all we are about to receive. In Jesus' name. *Amen.*

Lord of life, who hast never forsaken us, we offer unto Thee our thanks for this food. Our lives are sustained by Thy presence as we enjoy the fellowship of those about us. Bless us every one. In the name of our Master. *Amen.*

Dear Lord, may we receive this food as children who look to their father for supplying every need. With thankful hearts and brotherly kindness, we seek to share it and use it for Thy glory. *Amen.*

Our Father, deeply grateful for this food, we bow in reverence and thanksgiving. We acknowledge our dependence on Thee. We are creatures of need; but Thou hast supplied in abundance. In Thy name. *Amen.*

Heavenly Father, we are conscious that throughout our lives we have received the fruits of Thy bountiful care. May our hearts be attuned to the wonders of Thy great love. In gratitude we accept this food; in Thy name. *Amen.*

Our Father, whose care for us is ever present, we thank Thee for all material provision for our welfare. May we accept this food as a means of equipping us to serve Thee throughout this day. *Amen.*

Be with us, Lord, as we enjoy this food that gives us strength. In the spirit of thanksgiving, we desire to have fellowship with Thee and with one another. Make us more useful in the work we have to do. In Thy name. *Amen.*

Our Father, we are thankful for the blessing of nourishment Thou hast given. Make glad our hearts as we eat this food. Bless all who join with us in the greater fellowship of Thy presence. *Amen.*

Our Father, Thou hast blessed us with more than we deserve. May we share what Thou dost give with gratitude and in the spirit of humility. And as we look to Thee, may we acknowledge our dependence upon Thee. *Amen.*

Heavenly Father, by Thy mercy we are fed; by Thy love we are nourished; by Thy grace we are given life. And as we unite around this table, we pray that we may be grateful to Thee; in the name of Christ we pray. *Amen.*

Teach us, our Father, how to be grateful for this and all blessings Thou dost give. May we follow Thy guidance as we have opportunity. As we enjoy this fellowship of communion with Thee through the blessings of this meal, bless us all. *Amen.*

By Thy protection and preservation, we have lived to see this day, O Lord. With grateful hearts may we receive this food. Inspire us to labor for Thee and to be faithful in all we seek to do for Thee. *Amen.*

Thy constancy abides with us, our Father, as we seek to give thanks for this food. Make us loyal to the ideals of our Master who fed the multitudes; may we share His Spirit with those who eat with us; in His name. *Amen.*

O Lord, make us mindful of Thy fatherly care, Thy goodness, Thy benevolence toward us. Especially thankful are we for this meal; it is an expression of Thy love. We are grateful for it. *Amen.*

O God, in gratitude we offer unto Thee our thanks for the blessing of this home. We thank Thee for this food and pray that we may find in it sufficient strength for the service we seek to render in Thy name. *Amen.*

For this fellowship and for this meal, we give Thee thanks, our Father. May we find strength for this day's work and appreciation for Thy blessings; through Christ our Lord. *Amen.*

Gracious Father, we thank Thee for this our daily bread. We are mindful of the benefits of Thy generosity. We accept them; in Christ's name. *Amen.*

Our Father, for the fellowship of these our friends we give Thee thanks. We are grateful for this food that gives us strength. Continue to use us for Thy glory. In Jesus' name we pray. *Amen.*

Our Father,
  By Thy love we are blessed;
  By Thy generosity we are fed;
  By Thy grace we receive strength;
    Through Jesus Christ Our Lord. *Amen.*

O Lord, make us ever grateful for this expression of Thy love. May we find the strength that serves the persons with whom we work. In Thy name. *Amen.*

Heavenly Father, Thou hast provided for our physical need in so many ways. We give Thee thanks. Bless all who have had a part in supplying this meal. May we show our love for Thee by our consideration of one another. *Amen.*

Father, may we seek to follow
  Christ who served in Galilee;
Humbly may we ask Thy blessing
  For this food received from Thee. *Amen.*

Lord of our lives, Giver of every perfect gift, we thank Thee for this blessing we are about to receive. Consecrate us to Thy service. In the Master's name. *Amen.*

Dear Father, we have no other place to go for food than to Thee. We have no sustenance that equals the provision of

Thy love for us. May we ever give Thee thanks for every expression of Thy provision of food. In Thy name. *Amen.*

Our Father, with the dawn of another day we are grateful for this blessing of food and drink. Be with us, Lord, and fill our lives with love for one another. In Thy name we pray. *Amen.*

Direct our thoughts, O Lord, that our hearts may truly thank Thee for this and every expression of Thy care for us. In Thy name we pray. *Amen.*

Lord, our lives are in Thy hand. From Thee we have received these gifts of nourishment. Make us grateful for everything. Inspire us with the desire to share with others whose needs are greater than our own. In Thy name. *Amen.*

Eternal Father, who hast provided for our needs, we thank Thee for this food. We are happy as our family assembles around this table. Grant us strength to do Thy will as we partake of this meal. In Thy name. *Amen.*

Our Father, how grateful we are for these tokens of Thy care. With thanksgiving may we receive them in the attitude of humility. Thou dost bring to us those things we need. *Amen.*

Be with us, our Father, as we receive the blessing of food and the refreshment of drink. Make us generous in our daily ministration to the needy. Inspire us with gratitude. In Jesus' name. *Amen.*

Our Father, whose great love provides for us this daily food, we come to ask Thy blessing on us and pray that we may share our possessions with gratitude to Thee. *Amen.*

Almighty God, our heavenly Father, who of Thy goodness hast provided for every need, we thank Thee for this food. Make us steadfast in our love for Thee; strengthen us for the work of this day. In Thy name. *Amen.*

We praise Thee, O Lord, for Thy tender mercy toward us and Thy blessing of food. Thou art good to us beyond our imagining. Make us grateful for every blessing. *Amen.*

So many tokens of Thy love
  Thou hast so freely given;
May we be thankful for them all
  And lift our prayer to heaven. *Amen.*

Our Father, we thank Thee for this our daily food;
Thy blessing is so free and always good.
Thus with our gratitude, with every hope renewed
  We praise Thee, Lord. *Amen.*

Our Father, in the fellowship of kindred needs we assemble. May we offer unto Thee our thanks for all Thy benefits. In the Spirit of the Master. *Amen.*

Thou who dost increase our physical strength, may this food be used to nourish our bodies that we may become efficient in every responsibility Thou wouldst have us accept. Endow us with spiritual stamina as we receive it. *Amen.*

Heavenly Father, we are grateful to Thee for this blessing of food. Make us strong to believe in Thee and ready to be useful to our fellow beings. *Amen.*

Our Father, inspire us with purposefulness and determination to serve Thee devotedly. Equip us for the work of this day. In gratitude and thanksgiving, we ask Thy blessing upon all Thy children. In Jesus' name. *Amen.*

Heavenly Father, Thou hast smiled upon us with the blessing of this meal. We thank Thee for Thy remembrance that we have physical needs and for supplying every one. In Thy name we pray. *Amen.*

O Lord our God, we worship Thee, we praise Thee, we bless Thee for everything Thou givest us. With grateful hearts we ask Thy blessing on this food. *Amen.*

For so many evidences of Thy love for us, for Thy continued guidance to us, for this food, we offer our thanks. Bless its use to the feeding of our bodies and use us for Thy service. In Jesus' name. *Amen.*

Thou art our Father. We receive Thy care and experience Thy love. Thou hast provided for our needs. May we receive this food as a gift from Thee. We are grateful for everything. *Amen.*

In Thee, O Lord, do we put our trust as we receive this blessing of physical sustenance. Be with us as we have fellowship and enjoy these moments of privilege. Endow us with health and strength that we may be fruitful in our service to Thee. *Amen.*

We praise Thee, O Lord, for every blessing Thou hast given. We are grateful for this and all others. Set it apart to our uses and us to Thy service. *Amen.*

Blessed art Thou, O Lord, and greatly to be praised. Receive our gratitude for this time of fellowship and for this meal. In the Master's name. *Amen.*

Our heavenly Father, who in Thy great providence hast given us this day, we thank Thee for this feast that is set before us. We are made glad because of its power to sustain our lives. We are grateful for every blessing. *Amen.*

Our Father, by whose love and care we have found the blessings of home, food, and shelter, make us truly grateful. May we so live this day that we may share the spirit of our Lord and Master in whose name we pray. *Amen.*

Almighty God, whose grace is given us through the fellowship of these material blessings, make us thoughtful of others. In thankfulness we approach this table and ask Thy blessing. In the Master's name. *Amen.*

Thou who art the source of our strength, Thy love provides our every need. May we live here in the spirit of thanksgiving, knowing Thee as our Father. In Jesus' name. *Amen.*

Our Father, may our lives be blessed by the fellowship of sharing what Thou hast given. How wonderful it is to find our need supplied through Thy generosity! We are grateful. *Amen.*

O Lord, we praise Thee for Thy great love and tender care. We find all we need when we look to Thee for food. Bless it to our good. Make us Thine through gratitude. In Thy name we pray. *Amen.*

Eternal Father, as we assemble for this meal, clothe us with the spirit of Him who taught us how to be generous. We consecrate our lives to Thy service. Through Jesus Christ our Lord. *Amen.*

O God, forbid that we should be ingrates! As we partake of these tokens of Thy love, fill our hearts with the consciousness of our responsibility for feeding the hungry. In the Master's name we pray. *Amen.*

Thy mercies are eternal, Lord. Unbounded are Thy gifts to us. Without limit Thou hast provided food, and we are grateful. *Amen.*

Our Father, we thank Thee for the morning light. Thou hast given us more than we need through the blessing of this food. Be Thou our guide as we receive strength for the day's work. *Amen.*

O God, grant us the vision to see Thy purpose as we renew our physical strength by eating this food. We thank Thee for every blessing. May we serve our fellow man with love and in the spirit of willingness. Through Christ our Lord. *Amen.*

Our Father, may we be of service to those with whom we live. Make us patient and forgiving. And as we share this meal, make us sincerely thankful; in Thy name we pray. *Amen.*

Thou who art the light of life, we thank Thee for the blessing of food. Make us strong to do Thy will and ready to learn of Him who showed us the way to Thy purpose. *Amen.*

Heavenly Father, continue to grant us Thy blessing as we share the hearty fellowship of the meal. Reveal Thyself to us through our association. Make us truly grateful for this blessing. In Thy name we pray. *Amen.*

Heavenly Father, we look to Thee for our food, and Thou hast always supplied it. With humble hearts may we receive it and share Thy blessings with every person. For Jesus' sake. *Amen.*

O God, who art our strength, we bless Thee for this and every other gift Thou hast supplied. Our lives are nourished by Thy mercy. We give Thee thanks. In the spirit of Christ. *Amen.*

Heavenly Father, we offer unto Thee our thanks for the miracle of life and the food which sustains our bodies. Make us useful as we receive the benefits of Thy love. *Amen.*

Our Father, with gratitude we accept this provision of daily food; Thou hast given in great abundance. Bless it to our use that we may serve Thee devotedly. In Christ's name. *Amen.*

Dear Lord, may we accept the gift of Thy grace through this nourishment of our bodies. Deeply grateful for it, may we help feed others who are hungry. *Amen.*

Eternal God our heavenly Father, cleanse us as we wait in Thy presence. May we realize how merciful Thou art through the gift of this food which sustains our physical life. In Jesus' name. *Amen.*

Our Father, who hast prepared us for this hour, we thank Thee for Thy fatherly care and tender mercy. Our hearts are grateful for the generous expression of Thy love for us. May we receive this meal as a blessing from Thee. *Amen.*

Our heavenly Father, we find Thy sufficiency for us in the strength that is supplied through this food. As we partake of it, make us grateful. In Thy name. *Amen.*

Dear Lord, the constancy of Thy bounty impresses us as we sit around this table. Make us willing to divide what we have with others. Help us to help them. In Jesus' name. *Amen.*

Thou who dost feed the hungry, may we receive this sustaining expression of Thy love and care as Thy children. In gratitude and humility, we offer our thanks. For Jesus' sake. *Amen*.

O God, make us mindful of the meaning of Christian love that reaches out to share Thy blessing. Consecrate this food to the building of our bodies for service to Thee. We are thankful for all Thou hast given. *Amen*.

Eternal Father, we thank Thee that life brings us more joy than sorrow, more happiness than unpleasantness, more health than sickness. Make us grateful for this food Thou dost supply. *Amen*.

Heavenly Father, we thank Thee for this new day and all its benefits. Bless us as we partake of this food, and make us mindful of our obligation to share what Thou givest that none may be hungry. *Amen*.

We are thankful, our Father, for these blessings. May this food nourish our bodies and sustain our strength that we may better serve Thee. *Amen*.

Almighty God, from whom all blessings come, all strength is given, and by whose grace we live, we are grate-

ful to Thee for this food. May we partake of it in the spirit
of becoming better children of Thine. Through Jesus
Christ our Lord. *Amen.*

We praise Thee, O Lord, for these and all other blessings
which come to us from Thy bounty. Grant us Thy peace
as we receive them. *Amen.*

For this meal which Thou hast given, for the fellowship
of those about us, for Thy love and care which surrounds
us, we offer our thanks. Through Jesus Christ our Lord.
Amen.

Bless us as we partake of this food. May it be used for
the nourishment of our bodies that we may better serve
Thee every day. Through Jesus Christ our Lord. *Amen.*

Our Father, we rejoice that Thou hast provided this meal
for our physical strength. We praise Thee for all benefits
which come from Thy bounty. *Amen.*

Our Father, accept our gratitude for this food which
Thou hast given us. Renew our strength through it that we

may rightly serve Thee this day. In the name of Christ we pray. *Amen.*

Our Father, we thank Thee for this food and offer unto Thee our gratitude for every provision of Thy love. Grant to us that unity of fellowship which comes as we acknowledge Thy presence. In the name of Christ we pray. *Amen.*

O Lord, we thank Thee for Thy continued bounty and wise providence. Thou dost supply our every need. Thou art mindful of our dependence upon Thee. We acknowledge these blessings and offer unto Thee our thanks. *Amen.*

Direct us, O Lord, as we partake of this food that comes from Thy bountiful care for us. Teach us to be humbly grateful for these and other blessings. Grant that no child of Thine may suffer for lack of food. In Jesus' name, we pray. *Amen.*

O Lord, we give Thee thanks for every provision of food and raiment. As we enjoy the nourishment of this food, may we remember to feed those who are hungry. Grant to us the Spirit of Him who ministered to all. *Amen.*

Accept, O Lord, our humble thanks for these tokens of Thy love and care. May we so use them for the health and strength of our bodies that we may better do the work of this day. In the name of Christ we pray. *Amen.*

Our Father, with grateful hearts we offer unto Thee our thanks for this meal Thou hast provided. Thou hast made possible this occasion. Make us more worthy to receive these blessings. *Amen.*

Our heavenly Father, in whose love and care we find the blessings of shelter, food, and raiment, take from our hearts all ingratitude. Thou hast given beyond anything that we deserve. Help us to live this day in the Master's Spirit. *Amen.*

We are truly grateful for this and all other blessings of Thy bounty. Guide us through this day that we may serve in every capacity with a willing hand and a happy attitude. In the name of Christ. *Amen.*

Our Father, make us conscious of our obligation to be useful to Thee and to help our fellows. Bless us with health and strength through the benefits of this meal; we thank Thee for it. *Amen.*

O Lord, we feel Thee near us as we partake of every material and spiritual blessing. Make us adequate for the service Thou wouldst have us render in Thy name. *Amen.*

In Thy name we have received this food, our Father. We are humbly grateful to Thee for all its benefits. Bless us as we find nourishment through every morsel. *Amen.*

Evening Graces

Teach us, our Father, to be thankful as we partake of this meal. Our needs are so great, yet Thou hast supplied them. We praise Thee for the sufficiency of this good food that gives health and strength to our bodies. *Amen.*

Our heavenly Father, who dost supply our necessities of life, we offer unto Thee our gratitude for every blessing. More particularly do we thank Thee for this food we are about to receive. In Jesus' name. *Amen.*

Our Father, we are grateful to Thee for this daily provision of food. Continue Thy gracious favor to all who are in need, and grant that we may do all we can to make possible the blessing of food for all. *Amen.*

Dear Lord, may we remember Thy love for us as we break bread together. May we receive it as a token of the strength Thou dost supply. Increase our fellowship as we eat together. *Amen.*

Our Father, in whose love we abide, Thou hast blessed us with this food for the nourishment of our physical needs. We thank Thee for the fellowship of those who break bread with us. Inspire us to be mindful of others as we share. In Jesus' name. *Amen.*

With grateful hearts we bow in Thy presence, O Lord. This food comes from Thy bountiful storehouse. Accept our love for Thee and make us truly thankful for every blessing. This we ask in Thy name. *Amen.*

Dear Lord, we know that without Thee our lives would be meaningless. But Thou dost provide for our physical and spiritual need. May we receive these benefits with thankful hearts. In the Spirit of Christ. *Amen.*

We rejoice, our Father, that Thou hast blessed us with food and shelter and clothing. Our hearts are warmed by Thy great love for us and for all Thy creatures. We are grateful for every provision from Thy hand. May we partake of this food in the name of Christ. *Amen.*

For so many evidences of Thy love and care, we give Thee thanks and pray that we may accept this food in the attitude of humility; through Jesus Christ our Lord. *Amen.*

O God, make us truly grateful for this and every other blessing. We are Thine through sharing Thy goodness; Thou art mindful of our necessities. We thank Thee. *Amen.*

As we receive this food for the development of our strength, we pray for the guidance of Thy Spirit. Make us truly grateful for Thy goodness to us. *Amen.*

Gracious Father, enable us to find health and strength through these physical expressions of Thy love. May we serve Thee faithfully and sincerely, knowing that Thou art with us here. *Amen.*

Our heavenly Father, Thine we are and Thee we desire to serve. We thank Thee for this food that strengthens our bodies and prepares us for Thy service. In the Master's name. *Amen.*

Thou who satisfiest our need, we are grateful for this meal. Help us to feed the hungry and share the blessings Thou hast provided. Fill us with Thy love. In His name we pray. *Amen.*

Lord, we acknowledge our need for this food that makes us strong. May we use it to nourish us for participating in those activities that make us helpful to our fellow creatures. *Amen.*

Our Father, we are conscious of Thy presence as we receive this food from Thy storehouse, Thine eternal harvest. We lift our hearts to Thee in the spirit of thanksgiving and gratitude. *Amen.*

O God, who dost love us so much that Thou hast provided for our needs, we are grateful for this food. We praise Thee for Thy gracious provision that is before us. May we receive it in the Spirit of the Master. *Amen.*

Preserve us, O Lord, through the gift of physical strength that comes to us through the nourishment of our bodies. May we serve Thee better as we are encouraged to receive the attitude of the Master. *Amen.*

Bless, O Lord, this fellowship that is ours through the breaking of bread. Enable us to do Thy will as we share what we have received. Unite our hearts with those who wait at this table. In Thy name. *Amen.*

For all benefits of Thy protection and care, we offer our thanks, O Lord. Grant that we may serve Thee with new strength and high resolve. In Jesus' name. *Amen.*

Make us truly grateful for this expression of Thy bounty. Unite our hearts as we have fellowship around this table. Grant that we may love one another in the Spirit of Christ. *Amen.*

Our Father, unite our thanks as we offer unto Thee our gratitude for every blessing. May we enjoy the fellowship of friends as we receive this food. Through Christ our Lord. *Amen.*

Heavenly Father, with thankful hearts we ask Thy blessing upon us as we partake of this meal. Strengthen us for the duties of this hour that we may serve with willingness and devotion. In Thy name. *Amen.*

Our Father, who art the strength of our lives, we praise Thee for the blessing of food and shelter. May all we receive be used for the nourishment of our bodies and the strengthening of our souls. In Jesus' name. *Amen.*

Lord, we are grateful for Thy goodness to us. Make us useful in our daily duties. Inspire us by Thy Spirit. Direct

us in the way of peace and in the cause of righteousness.
In Thy name. *Amen.*

Our Father, may Thy love surround us as we partake of
these tokens of Thy grace. Enable us to find strength for
our work. Our hearts are grateful for Thy blessing. In the
Master's name. *Amen.*

Our Father, may the fellowship and blessing of our Lord
Jesus Christ abide with us as we eat. We are grateful to
Thee for this repast. Bless us in Thy name. *Amen.*

Heavenly Father, make us humbly grateful for these and
other blessings that come from Thy hand. Make us willing
to aid our fellows in their time of need. Fill our hearts with
a desire to serve in Thy name. *Amen.*

Our Father, as we receive this blessing of food that lifts
us above the complacency of discouragement, make us
mindful of our dependence on Thee for every need. We
are thankful for Thy tender care. Make us truly Thine. For
Jesus' sake. *Amen.*

O Lord, unite us as we lift our hearts to Thee in praise
and thanksgiving for this meal. We are truly grateful for

this and every token of Thy love. In the Master's name we pray. *Amen.*

Our Father, as we are fed by Thy generosity, we thank Thee for this expression of Thy benevolence. May we enjoy the fellowship of our loved ones. In Thy name we pray. *Amen.*

Bless us, O Lord, as we prepare to eat this food. We are grateful for it. In Thy name we receive it. *Amen.*

May the blessing of Thy love rest upon us as we receive the food that gives strength, the fellowship that warms hearts, the power that gives life. In Jesus' name. *Amen.*

Eternal God our Father, as we receive these portions of strengthening food, make us truly grateful. Free us from selfishness that we may dedicate our lives to Thy service; through Jesus Christ our Redeemer. *Amen.*

Our Father, teach us how to share with others this blessing of food and drink. Thou hast blessed us far beyond our deserving. We are grateful. *Amen.*

Children's Graces

Around this table, Lord, we meet;
For this food we give our thanks.
May we ever grateful be
For this and every blessing. *Amen.*

To Thee, our Father, we now raise
Our thoughts and words in grateful praise;
We thank Thee for our daily bread,
As one and all we bow our head. *Amen.*

On the table here before us
Are provisions of Thy love;
In our hearts we seek to thank Thee
For the bounties from above. *Amen.*

O Lord, we thank Thee for this food,
Which gives us nourishment;

Our bodies find in it Thy good,
    And Thy encouragement. *Amen.*

Be with us, Lord, as we partake
    Of this our daily food;
May we receive it for Thy sake
    That we may do Thy good. *Amen.*

Father, we come to Thee to ask
    Thy blessing on us here;
Be with us in our daily task
    And hear our morning prayer. *Amen.*

As we receive this food today,
    And drink our milk again,
We pause a while, our prayer to say,
    As we Thy blessing name. *Amen.*

To Thee we lift our prayer to say
That we are thankful for the day;
Now may we praise Thee for this food
And share Thy everlasting good. *Amen.*

Make of our worship a new song
As in Thy presence we belong;
Help us to praise Thee as we say,
Grant us Thy peace throughout the day. *Amen.*

Bless us, our Father, as we pause to thank Thee for this food. Enable us to find strength to do the work of this and every day. In the Master's name. *Amen.*

Our Father, we thank Thee for the rest of the night, the promise of the new day, the nourishment of this meal. May we ever be mindful of Thy continued blessing upon us; in Jesus' name. *Amen.*

Thy table here is spread
With this our daily bread.
We offer Thee our gratitude
For every morsel of this food. *Amen.*

Thy tender care for us, O Lord,
    Is ever present here;
Thy love has never failed to bear
    Thy bounty from above.
So teach us how to find and share
    These tokens of Thy love. *Amen.*

O Lord, we come to Thee
  To give thanks for our food;
Thy love for all has made us free
  To share Thy lasting good. *Amen.*

Thy everlasting strength we share
  Through this our daily bread;
We thank Thee for Thy love and care
  By which our souls are fed. *Amen.*

We offer Thee our gratitude
  For every piece of bread;
We thank Thee for sustaining food
  Before we go to bed. *Amen.*

Good Lord,
  For every morsel of good food,
  For every blessing kindly given,
  For all the moments of our life,
    We offer Thee our thanks. *Amen.*

This food we now receive
  Becomes our strength today;
May we with constancy
  Thank Thee as now we say,
Our life depends on Thee. *Amen.*

For bountiful and wholesome food,
For lovely friends and true,
For every portion of Thy love,
For daily work to do—
For these and others we give thanks
To Thee, our Father. *Amen.*

We thank Thee
For this new day,
For this food,
For our home and its fellowship.
Bless us as we find new strength. In the
Master's name. *Amen.*

In Thee, O Lord, we put our trust and ask Thy blessing
on us. May we be grateful for all Thy care for us. *Amen.*

We give ourselves to Thee, our Father. Deeply grateful
to Thee for these blessings of food and drink, we pray that
we may use what Thou dost give to help others. In Thy
name. *Amen.*

Be with us, our Father, as we enjoy this food. May we
grow in body and mind. Bless us with health and strength.
We thank Thee for every blessing of food. *Amen.*

Father, bless this food today,
    As we this blessing say;
Make us grateful one and all,
    When upon Thy name we call. *Amen.*

Bless us, Lord, and make us thankful for Thy love and
care. May we these and other blessings share. *Amen.*

Our Father,
    With thankful hearts we bless Thee
        As the morning breaks;
    With willing hands we serve Thee
        As we work and play;
    With sincere prayer we ask Thee
        To bless us through this day. *Amen.*

Beneath the shadow of this home
    May we dwell and never roam.
Help us worship Thee today
    Through every word that we shall say. *Amen.*

For this meal Thou givest us,
    Make us thankful as we trust;
In the strength of every bite,
    May we thank Thee, Lord, tonight. *Amen.*

With gratitude we greet Thee
With the opening day;
For this food we thank Thee
In our humble way. *Amen.*

Good Lord, be with us through this day
And bless us as we eat;
We thank Thee for Thy love and care
That make our life so sweet. *Amen.*

For the sunshine of the morning,
For the rest of the night,
For the love of our companions,
We give thanks and say, Goodnight. *Amen.*

Our Father, we thank Thee for this meal. May we share
it as we remember that Thou dost love us. In Jesus' name
we pray. *Amen.*

In Thy name we receive these expressions of Thy love
and tender care for us. We thank Thee that Thou hast
given us food and drink. *Amen.*

Be with us, Father, as we say
  Our blessing to Thee on this day;
Bless this food we share sincerely,
  For we love Thee, Father, dearly. *Amen.*

Our Father, in gratitude to Thee for all Thy goodness,
we come to share this meal. With thanksgiving and praise
we seek Thy blessing. *Amen.*

O Lord, as we receive these blessings of food and drink,
make us grateful. Inspire us to serve Thee day by day and
in new ways. *Amen.*

Our Father, continue Thy favor to rest upon us as we
thank Thee for these Thy blessings to us. *Amen.*

O Lord, accept our gratitude
  For this new day, for this our food;
Continue with us on our way
  As thanks we give Thee day by day. *Amen.*

As we approach this table, Lord,
  We offer Thee our prayer
That ever grateful we may be
  As food with all we share. *Amen.*

Our Father, we give Thee thanks
For every piece of bread,
For every kind thought,
For every noble deed,
For friendships dear
And kindred hearts. *Amen.*

Special Graces

NEW YEAR'S

Eternal God our Father, we praise Thee for the light of this New Year. Accept our thanks for the repast we are to share in Thy presence at this hour. Make us mindful of Thy generosity. In Jesus' name. *Amen.*

EASTER

O Lord, we rejoice in the reality of the Resurrection. As this day has dawned upon us, we recognize so many evidences of Thy love! Thou dost bless us beyond measure. This food we receive is one of the greatest blessings, for it sustains our lives. May we accept it in the spirit of humility and gratitude. In His name. *Amen.*

MOTHER'S DAY

Lord of life, who didst give to our homes the blessing and ministrations of the devoted mother, we are grateful for her steadfast love that inspires us, her noble service that

constantly reminds us of Thy care. We are thankful for
this food. May we accept it in the spirit of the Master.
Amen.

MEMORIAL DAY

Our Father, today we are conscious of the benefits that
come to us through the sacrificial love of those who gave
their lives in supreme sacrifice for the protection of our
country. As they have protected our lives, so may we be
willing to live for the preservation of Christian ideals. May
we live in that spirit. In His name. *Amen.*

FATHER'S DAY

O God, Thou art our Father. Bless our homes and make
us loyal to the spiritual meaning of the father's responsibility. May we honor him who provides for the needs of
this household. Help us to make his burdens lighter. As we
receive this meal, make us ever grateful. In Thy name we
pray. *Amen.*

INDEPENDENCE DAY

Heavenly Father, we thank Thee for the Christian foundations of American independence; we are grateful for this
good land in which we live. May we mean more as a nation
in leading the way to peace. Bless this food and lead us to
the attitudes of the Christ in whose name we pray. *Amen.*

LABOR DAY

Heavenly Father, by Thy grace we receive this food. We are truly thankful that Thou dost provide for our physical strength. On this day we offer our special thanks for all who do the world's work in making possible these blessings we now receive—this food we eat. *Amen.*

THANKSGIVING DAY

"O Lord, our Lord, how excellent is Thy name in all the earth." We cannot count the blessings Thou dost give! We come to Thee with gratitude. Make us conscious of Thy presence; and, in faith, may we follow where Thou dost lead. With grateful hearts we receive this food. In the name of Christ. *Amen.*

Our Father, make us conscious that we should not overlook the many occasions for giving thanks, particularly on this day that is set apart. All we possess is Thine: our lives, our talents, our hopes which look ahead. Teach us how to grasp the reality of this moment of sharing fellowship and food. In Jesus' name. *Amen.*

CHRISTMAS

Our Father, fill our hearts with appreciation for the gift of Thy Son. In the midst of these festivities may we make room for Him in our personal experience. And as we share this meal, we pray that Thy blessing may rest on all people everywhere. *Amen.*

Francis Ryck

Le silencieux

Gallimard

L'édition originale de cet ouvrage
est parue dans la Série Noire sous le titre
Drôle de pistolet.

Francis Ryck est né à Paris. Il a fait une partie de la guerre dans la marine — après quoi il a beaucoup voyagé, exerçant divers métiers, manuels ou autres, lui laissant le temps d'écrire — et vit à présent de sa plume. Francis Ryck travaille aussi pour le cinéma et la télévision.

Il a inventé un genre particulier de romans noirs où se mêlent l'espionnage, la science-fiction et la recherche du paradis perdu. Son œuvre compte une trentaine de romans.

I

Depuis un peu plus de trois heures, Yako déambulait dans les rues de Londres, s'éloignant du centre, se rapprochant insensiblement du Crouch End. Il était sûr, à présent, de ne pas avoir été suivi.

Il faisait un temps lourd en cette fin d'été, et Yako ressentait tout le poids de fatigue de cette marche fastidieuse, de ce « semage » routinier qui précède obligatoirement tout contact par « boîte aux lettres morte ».

Vêtu d'un complet kaki usagé, son large visage moite de sueur, il boitait légèrement du pied gauche et se reprochait pour la vingtième fois d'avoir mis ces chaussures qu'il avait achetées la veille.

Apparemment indifférent, il observait scrupuleusement tous les passants qu'il croisait, se retournait chaque fois qu'il traversait une rue. Mais son esprit ne pouvait se détacher de ce contrefort mal assoupli qui lui meurtrissait le talon.

Son parapluie accroché au bras, il avait l'air d'un petit employé rentrant de son bureau, comme il en circulait des milliers dans Londres à la même heure. Il se fondait dans la ville, dont il avait pris l'aspect et la couleur, amalgamé à la foule, chacun de ses gestes mesuré à son rythme, indifférencié, banal. La seule chose qui, en lui, aurait pu retenir le regard, se rapportait à la bouche trop large et aux yeux saillants qui lui donnaient une vague ressemblance avec un batracien, une grenouille inoffensive et un peu effarée.

Il s'engagea dans Coolhurst Road, ralentit légèrement le pas, balayant toute la rue en enfilade d'un coup d'œil rapide. Il prit une cigarette dans sa poche et s'accorda le temps de l'allumer, en voûtant un peu le buste et les deux mains en écran sous les yeux attentifs.

Enfin, il fit encore quelques pas et franchit le portail du numéro 23. Un couloir sombre qui sentait l'humidité bordait deux escaliers de pierre et aboutissait à une cour étroite ornée d'une guirlande de linge qui séchait.

Sans hésiter, Yako se dirigea vers le premier escalier et il s'apprêtait à le contourner quand une porte claqua dans les étages, suivie d'un bruit de pas martelant le palier. Yako commença à gravir les marches, lentement, pesamment. Un peu avant le premier étage, il croisa une femme qui descendait, sac en bandoulière et très fardée, avec des gestes de cheval de cirque. Sans paraître lui accorder la moindre attention, Yako la salua d'un geste machinal, en portant les doigts contre le bord de son chapeau.

Il continua à monter. Des notes de piano parvenaient d'en haut, aussi nettes et claires que s'il eût été installé sur un des paliers ; des gammes laborieuses, rejouées inlassablement. Au second, Yako s'arrêta, jeta un coup d'œil par-dessus la rampe, puis il se mit à redescendre, beaucoup plus vite et plus légèrement qu'il n'était monté.

Au rez-de-chaussée, il se dirigea silencieusement sous l'escalier. Là, il faisait très sombre, et ses yeux, habitués à la lumière, lui rendaient une obscurité presque totale. Malgré le silence troublé seulement par le son paisible du piano et la certitude d'un vaste vide autour de lui, il n'alluma pas son briquet.

Yako était de ces hommes dont les angoisses se dissolvent dans l'ombre. Il s'y trouvait à l'aise et en sécurité comme dans un lit familier et, depuis de nombreuses années, il savait que ses sens s'y aiguisaient mieux qu'en pleine lumière.

Il avança un bras et ses doigts palpèrent le mur. Il trouva rapidement la faille entre deux pierres, et la mince feuille de papier pelure, étroitement pliée, qui y avait été glissée.

Alors un choc le poussa en avant, aussi violent qu'un plaquage de rugby, tandis qu'une tenaille d'acier se refermait sur ses bras, les ramenant contre son buste, serrant à étouffer.

Il n'avait rien entendu venir, c'était comme si l'autre, dont il sentait maintenant le souffle contre sa nuque, s'était laissé tomber sur lui comme un serpent.

Il ne chercha même pas à se débattre, il avait mesuré les forces, trop inégales. Son parapluie était tombé sur le sol de ciment. Yako tenta seulement de plier l'avant-bras pour porter le message à sa bouche et l'avaler. Comme il ne put y parvenir, il laissa tomber le papier, essayant au jugé de le piétiner avec l'arête de sa semelle.

Il se sentit presque soulevé de terre et poussé sur le côté. Au même moment, le faisceau d'une lampe électrique glissa sur le sol, se fixa sur le papier intact, puis la silhouette d'un autre homme se baissa pour le ramasser.

Tout cela se déroulait en silence. Seulement les gammes, là-haut, qui continuaient de s'égrener, puis un roulement lointain qui était peut-être la première annonce de l'orage.

L'éclat de la lampe éblouit Yako, qui cligna des yeux, puis la lumière se reporta sur le papier, et les doigts longs et fins qui le dépliaient.

Puis les mains s'avancèrent pour palper les vêtements de Yako, ses poches ; elles glissaient, expertes, autour de la ceinture, le long des cuisses, jusqu'aux chevilles. Dans une légère odeur d'eau de toilette et de tabac blond.

L'étreinte qui l'étouffait se desserra et on lui ramena les poignets en arrière. Enfin, la lampe s'éteignit, et Yako se sentit poussé vers le couloir, sans brutalité. Maintenant, il distinguait celui qui marchait devant, un homme grand et mince, au dos voûté, vêtu d'un imperméable noir.

L'autre, derrière lui, pesa sur ses poignets, et Yako s'arrêta pendant que l'homme à l'imperméable traversait lentement le couloir et gagnait le portail, presque nonchalamment.

On lui lâchait les poignets et on le poussait légèrement dans le dos. Yako se remit en marche et gagna à son tour le portail, seul, les pas de l'autre le suivant à distance. Et la gamme se perdait déjà dans la rumeur de la rue, fa sol la si do ré, noyée dans un deuxième roulement de tonnerre.

Une voiture grise était garée devant l'entrée, avec un homme au volant, et un autre à l'arrière, qui ouvrit la portière dès que Yako apparut. L'homme à l'imperméable se tenait sur le trottoir, de dos, un peu à l'écart, et la tête levée comme s'il s'inquiétait de la pluie qui commençait à tomber à grosses gouttes.

Quelques passants se hâtaient, traversaient cette scène comme des figurants distraits, sans rien y déceler d'anormal.

Tout s'était fait en quarante-huit secondes, proprement et selon les meilleures traditions. Yako ne cherchait même pas à s'enfuir, il avait assez de métier pour savoir que c'était inutile. Il entra dans la voiture où l'homme corpulent et d'aspect paisible qui avait ouvert la portière se poussa pour lui faire de la place.

Celui qui avait tenu les poignets de Yako entra à son tour, et décrocha de son bras le parapluie qu'il avait ramassé pour le poser contre la cuisse du prisonnier. C'était un petit homme râblé avec un visage de clown triste.

Sans qu'une parole fût prononcée, la voiture démarra aussitôt. Sur le trottoir, l'homme à l'imperméable s'éloignait à pied, de la même allure nonchalante, indifférente.

*

Yako ignorait dans quel quartier de Londres il se trouvait. Cette ville l'avait toujours rassuré par son gigantisme ; pendant des années, il s'y était senti perdu comme au fond d'un gouffre immense de pierres et de fumées, recouvert par ses crachins et ses brouillards.

Maintenant, le gouffre l'avait piégé, comme un grand coquillage qui s'était refermé. Un coquillage, ou un des milliards d'alvéoles de la ville, faits des mêmes pierres, pénétré de la même odeur d'humidité et de suie. Une cave. Sous un immeuble semblable à des milliers d'autres, dans un quartier qu'il n'avait pas pu reconnaître.

La voiture avait roulé longtemps, sans doute pour le désorienter. Il y avait eu le ciel obscurci par l'orage, la nuit qui paraissait tomber d'un coup, et la pluie qui ruisselait sur les vitres. Personne ne parlait.

Puis la voiture s'était garée brusquement, sans que rien ne le laisse prévoir, comme toujours. L'homme au visage de clown l'avait mené le long d'un couloir silencieux, puis dans un petit escalier aux marches usées, enfin dans cette cave.

Quatre mètres sur trois, des murs lisses, cimentés, sans soupirail, sol de ciment, un lit de fer, rabattable, scellé à un des murs. Une porte de bois peinte en gris, avec un guichet et un œilleton. Une ampoule allumée au plafond, sous un manchon de treillage métallique.

Yako non plus n'avait pas parlé. Pas questionné. Il connaissait les règles du jeu, et « eux », de leur côté, savaient qu'il les connaissait.

Quand il était entré dans sa cellule, l'homme au visage de clown avait attendu, sans un mot. Yako avait vidé ses poches et il lui avait tendu successivement son portefeuille, son briquet, ses cigarettes, puis il avait défait sa ceinture. Mais l'autre avait eu un signe de tête vers la couchette sur laquelle étaient pliés une veste et un pantalon de drap brun. Alors Yako s'était déshabillé entièrement et il lui avait remis ses effets.

Après un autre signe de tête, comme approbateur, l'homme était sorti, et Yako avait entendu la clé tourner dans la serrure.

14

Le pantalon était trop étroit à la taille, il avait dû laisser le haut déboutonné, en revanche il avait retroussé largement les manches de la veste.

C'était le silence complet ; on ne percevait même pas le grondement de la ville. Une cave profonde ; machinalement Yako avait compté trente et une marches en descendant ; et l'épaisseur de pierres et de ciment devait étouffer tous les sons.

Il avait arpenté la cellule de long en large, avec la satisfaction bête des pieds soudain indolores, délivrés des chaussures.

Peu lui importait à présent la cause de sa capture. Gregor avait sans doute été suivi en portant le message. Suivi, ou arrêté, qu'il ait parlé ou qu'un autre que Gregor soit à l'origine de la situation, cela prenait maintenant une importance secondaire, presque dérisoire. Ce sont des problèmes auxquels on pense attentivement quand on est encore libre.

Ou bien on y repense plus tard, beaucoup plus tard. Dans la vérité immédiate d'un cube de ciment, ce sont des problèmes plus concrets qui se posent. Simplement, l'avenir.

Après avoir tourné d'un mur à l'autre, Yako s'était assis sur le lit. Le jeu se formulait par allusions, autour d'un thème unique : « Parler » ou « Ne pas parler ». L'allusion, c'était cette cellule : ce qui l'attendait au cas où il refuserait de parler. Et ce qui l'attendait, c'était simplement cela : ici, projeté dans un avenir interminable. Emmuré à vie, sans procès, réclusion à vie, dans une solitude totale.

Très simple. Aucune torture, aucune pression physique. On peut tenir un an, deux ans, parfois un peu plus avant la folie. Et la folie non plus n'est pas une échappatoire, seulement un autre mur, un autre gouffre.

Il « les » connaissait. Il connaissait leurs méthodes. Pas plus de moyens chimiques, scopolamine ou hypnotiques, que de torture. Non, tellement sûrs d'eux et de leurs vieilles traditions. Une petite horreur calme, un peu désuète, les procédés conservateurs, éprouvés déjà bien avant le roi Richard.

Simplement un peu de ciment sur les murs de l'oubliette, et la lumière électrique. Peut-être, plus tard, éteindraient-ils la lumière, pour toujours.

Ils n'étaient pas pressés, ils avaient le temps pour eux. Discours inutiles, aucune formule d'avertissement. Ils savaient qu'il connaissait tout cela, qu'il n'ignorait rien de ce qui l'attendait et que, dès maintenant, son cerveau lui en donnait l'image exacte.

D'une certaine manière, son cerveau, à lui, avait déjà commencé à travailler pour eux, dans le sens qu'ils désiraient. C'est à des détails de ce genre qu'on reconnaît l'empreinte des très vieilles civilisations.

De la même façon, Yako savait par qui il allait être interrogé : ce serait l'homme à l'imperméable, celui qui était resté sur le trottoir. Il serait peut-être assisté de l'autre, le gros qui avait ouvert la portière de la voiture.

Et cela n'allait plus beaucoup tarder. Dès que le message serait revenu négatif du décryptage. Et dès qu'ils sentiraient que lui, Yako, serait prêt.

Prêt à quoi ? Il s'était déjà attendu à ce qui lui arrivait, il y avait pensé cent fois, imaginant toutes les formes possibles de son arrestation, et même ses réactions, après... Mais on pourrait imaginer cent

16

milliards d'hypothèses, de circonstances et d'états d'esprit, la réalité s'arrange toujours pour ne jamais coïncider.

On n'a jamais formulé qu'un à peu près, comme l'itinéraire abstrait d'un voyage ; on connaît le trajet et les escales, mais tout change et surprend dès qu'on sent le plancher mouvant du bateau sous les pieds. Et surtout, ce à quoi on ne s'attendait pas : il a suffi de cela, de cette connaissance concrète du réel, pour qu'on change soi-même, en quelques instants.

Tout le temps qu'on était libre, on s'était dit : si je suis pris, je ne parlerai jamais, quoi qu'il arrive. C'était aussi clair qu'un texe scolaire écrit au tableau et qu'on a appris par cœur. On a été formé, conditionné pour ça. La pensée de trahir n'effleurait même pas. On envisageait la trahison comme une de ces maladies qui arrivent aux autres, à quelques autres, très rares, dont l'exemple rabâché servait en quelque sorte de vaccin.

Et puis on se trouve brusquement, non pas devant la réalité, mais enfermé dedans, avalé par elle, intégré.

Assis sur le lit, les coudes sur les genoux, Yako frottait machinalement ses joues déjà rêches de barbe. Il commençait à avoir soif, mais il savait aussi que cela faisait partie du programme. Inutile d'appeler pour demander de l'eau. On lui en donnerait plus tard, parcimonieusement, de manière à entretenir aussi longtemps qu'il faudrait cette sensation de soif.

Tous les petits moyens très simples seraient mis en œuvre pour qu'il n'aspire plus qu'à une délivrance. Cela ressemblait un peu au mal de pied :

pour le faire cesser, il suffit d'ôter la chaussure. C'est enfantin : un seul geste qu'on peut faire soi-même.

Inutile d'appeler pour demander quoi que ce soit. Attendre, seulement. Sans même la ressource de la haine, parce qu'il y a longtemps qu'on a passé le cap des émotions et des sentiments. On est devenu un homme de métier, un professionnel. On a appris à calculer et à raisonner, froidement.

En théorie, il y a toujours une solution : le suicide. Cela s'appelle : auto-élimination par moyens appropriés. A peu près tous les cas ont été prévus, exposés en questions de cours.

On n'ignore pas non plus qu'ils ont tout prévu pour rendre cette solution impossible ! Ça, c'est peut-être valable avant.

Mais en temps de paix officielle, on ne s'embarrasse pas d'une capsule de cyanure pour aller relever le courrier. C'est bon en temps de guerre, où l'on sacrifie à tort et à travers. En périodes intermédiaires, la formation d'un agent est si complète et revient si cher que cette précaution est réservée aux opérationnels en mission particulièrement dangereuse.

On compte sur l'agent (si bien formé et éduqué) pour ne pas se faire prendre sur le fait... Ainsi, si Yako n'avait pas répugné à allumer son briquet sous l'escalier, s'il avait attendu un peu avant de glisser sa main entre les deux pierres, bref, s'il avait « tiré un coup à blanc », comme on dit en termes de métier, il aurait pu raconter qu'il s'était réfugié dans le premier immeuble, poussé par un besoin pressant. Même suspecté, même interrogé, la couverture inattaquable que le Service lui avait fournie l'aurait protégé.

Il ne sert à rien de revenir sur ce qui est fait et de se reprocher ses erreurs quand elles ne peuvent pas servir de leçon pour une prochaine expérience. Et ici, apparemment, il n'y aurait plus de prochaine expérience pour Yako.

II

L'homme au visage débonnaire pénétra dans la cellule, précédé de l'homme à l'imperméable, à présent vêtu d'un costume prince de Galles de bonne coupe. Il tenait le message déplié à la main et s'adossa au mur pendant que le débonnaire s'asseyait sur le lit à côté de Yako qui n'avait pas bougé.

— Nous n'avons pas l'intention de vous soumettre à un interrogatoire compliqué, dit-il en portant un regard ennuyé sur le message.

Il avait un visage allongé et hâlé, des cheveux grisonnants et rejetait curieusement la tête en arrière quand il parlait.

— Le problème est très simple, reprit-il. Je suppose que vous connaissez les données aussi bien que nous. Voici ce que nous vous proposons. Un passeport de la nationalité de votre choix ; une somme de dix mille livres sterling, soit en espèces, soit déposée dans une banque à votre convenance, banque suisse si vous l'exigez.

Il tendit le message à Yako, qui y porta les yeux. Cinq lignes de chiffres non groupés, dactylographiés comme d'habitude. Clé double à combinaison inversée basée sur un texte. Ce texte, il ne le connaissait pas, mais il savait qu'il circulait dans Londres à des centaines de milliers d'exemplaires. Aussi facile à trouver, à demander, qu'une boîte d'allumettes.

L'homme regarda sa montre :

— Il est 20 h 50. Nous reviendrons à 21 h 20. Inutile d'ajouter, je crois, que la transaction que nous vous offrons concerne une décision positive de votre part dans ce délai. A 21 h 25, notre offre tiendra toujours, mais elle sera déjà beaucoup moins intéressante...

Il détacha sa montre de son poignet et la jeta sur le lit. L'homme jovial se leva en soupirant, adressa à Yako un sourire distrait, et ils sortirent.

C'était beaucoup plus adroit que n'importe quel interrogatoire. Yako savait maintenant que s'ils l'avaient interrogé selon les méthodes classiques, il n'aurait pas parlé. Ç'aurait été comme le désamorçage d'une pompe, brutal. Alors qu'ils avaient simplement amorcé en douceur.

Il le savait, il pouvait tout prévoir. Il était comme un médecin parfaitement renseigné sur l'évolution de sa propre maladie, sur les attaques successives des virus sur les différents organes de son corps.

Il ramassa la montre. Une Omega en or, rectangulaire, bracelet de cuir noir.

« Dix mille livres sterling. Ils ne sont pourtant pas d'un pays où l'on achète un tapis avant de l'avoir déroulé pour le voir.

« Depuis la Révolution, tant de héros de la Tcheka, puis du M.V.D., enfin du K.G.B. et du G.R.U., sont morts ou survivent encore dans des cellules semblables pour n'avoir pas parlé.

« Des hommes à qui on a fait des offres semblables. Qu'avaient-ils de plus ? Quelles motivations charnelles ? La haine, la foi, certaines circonstances héroïques, l'action... La réalité physique de camarades connus, toujours présents...

« Le cloisonnement de l'Appareil est devenu tel que nous ne connaissons même plus les camarades avec lesquels nous combattons. Combattre, l'action... Deux, trois, quatre ans de "résidence" à l'étranger, dans une quotidienne familiarité avec un pays que l'on finit par ne plus pouvoir considérer comme ennemi, dont on a pris la langue, les coutumes et jusqu'aux manies. L'homme du pub, l'épicier, la femme avec qui on couche... »

Yako se leva lourdement et se remit à arpenter la cellule. Il comprit que sa décision était déjà prise parce qu'il commençait à chercher des justifications. On peut se sacrifier dans la guerre ou dans certaines circonstances violentes. C'est beaucoup plus difficile de le faire après des années de routine, de contacts banals et de relevés de courrier.

« Ils savent cela aussi à Moscou. Dans ce jeu muet, tout le monde sait tout. Ils savent qu'un homme comme moi n'a rien à quoi se raccrocher pour se sacrifier totalement, même pas un camarade de chair et d'os à protéger...

« Alors, ils ont institué le système de la menace, de la peur. Ils ont fait en sorte que nous sachions tous que les traîtres n'échappent pas, que les équipes spécialisées, surentraînées de nos services les retrouvent toujours, dans quelque pays et sous quelque nom qu'ils se cachent. »

Une parfaite connaissance de l'âme humaine, de part et d'autre. Yako eut un rire silencieux et s'arrêta au milieu de la pièce. Une vérité d'un comique sinistre venait de lui apparaître : au pied du mur, mais au pied du mur SEULEMENT, quand le rouage a été détaché de la machine pour redevenir un être humain devant des problèmes personnels, la trahison semble être la solution vraiment héroïque. Le seul risque d'aventure et de mort.

La fidélité à tous les ensembles schématiques, à toutes les abstractions, ne serait qu'une continuation de la routine. En Angleterre, pas plus qu'ailleurs, en temps de paix, on n'exécute pas les espions.

Yako se laissa retomber sur le lit et regarda la montre : 21 h 18.

Les justifications ne manquaient pas, il y en avait même trop, comme un plat trop abondamment garni, à donner la nausée. Il sentit que, s'il en trouvait une de plus, il serait capable de revenir sur sa décision. Alors que si aucune ne lui était venue à l'esprit, sa décision aurait été irréversible, peut-être parce qu'il la portait en lui, subconsciente, depuis des années, comme une sorte de talisman de la dernière heure.

Simplement parce qu'il était un homme encore jeune, en bonne santé et destiné à lutter. Et surtout, parce que depuis quelques heures il était devenu un homme seul.

A 21 h 25, quand les deux hommes réapparurent au seuil de la cellule, Yako leva la tête et fit simplement :

— Le *Times*, celui d'hier.

Le texte clé était en quatrième page, colonne de droite. Les deux hommes le laissèrent déchiffrer. Le message était important : il annonçait l'arrivée, par le continent, de deux nouveaux agents que Yako était chargé de réceptionner le lendemain, 11 h 30, à Douvres.

Quand il tendit le texte, l'homme jovial eut un nouveau sourire approbateur, puis il s'effaça devant son compagnon, et la porte de la cellule se referma une fois de plus.

Yako s'était dressé et se précipita contre la porte. Comme s'il venait d'être dupé. Rien ne les obligeait maintenant à tenir parole. Il revint sur ses pas et se rassit sur le lit. Il s'aperçut qu'il transpirait et essuya son front d'un revers de main. Il haussa les épaules, comme s'il s'adressait à un interlocuteur.

Ils ne pouvaient rien sans lui. Lui seul connaissait les marques de reconnaissance qui permettraient d'identifier les deux hommes. Ces signes étaient les mêmes pour tous les contacts, qu'ils soient du réseau proprement dit ou en provenance de l'étranger comme dans ce cas ; ils variaient tous les dix jours, par roulement, établis une fois pour toutes.

Un quart d'heure plus tard, l'homme au visage de clown apparut. Il portait sur son bras les vêtements de Yako, qu'il posa sur le lit, puis il attendit.

Quand Yako fut habillé, il lui fit signe de le suivre. Yako ramassa la montre qui était restée sur le lit et la garda dans sa main.

Ils montèrent dans l'immeuble mal éclairé, silencieux, et qui paraissait désert. Ses deux interlocuteurs l'attendaient dans une sorte de petit bureau-bibliothèque confortablement meublé, où brûlait un feu de coke, comme en hiver.

On lui désigna un fauteuil, et l'homme au visage de clown revint avec des bouteilles de bière, qu'il servit dans des chopes de grès avant de s'éclipser.

Yako avait remarqué le magnétophone posé sur une table Regency, un peu en dehors du cercle de lumière discrète diffusée par un abat-jour.

Ils étaient tous les trois assis devant le feu, jambes croisées, leurs chopes à la main. Dehors, la pluie tombait encore et crépitait contre les volets. L'homme jovial contemplait le feu avec béatitude, comme si leur réunion n'avait d'autre objet que de boire et se chauffer entre amis de toujours. L'autre s'éclaircit la voix :

— Mettons d'abord au point les formalités de notre accord. Avez-vous décidé quelque chose, en ce qui concerne la somme ?

Yako retrouva son paquet de cigarettes dans la poche de son veston. Il en alluma une posément, en réfléchissant. Comme s'il avait attendu ce geste, l'homme jovial commença à bourrer une petite pipe au tuyau ébréché.

— Trois mille livres en espèces, dit Yako. Le reste dans une banque américaine, la succursale de la Chase Bank à Paris. Passeport britannique, authentique évidemment. Revolver Smith and Wesson, que je choisirai... acheva-t-il en tordant sa grosse bouche.

L'homme jovial sourit encore, comme s'il goûtait la bonne plaisanterie. Yako se rappela qu'il avait glissé la montre dans sa poche, avant d'entrer. Il la tendit à l'homme maigre qui eut un de ces typiques sursauts de gratitude confuse, comme s'il avait complètement oublié... Il posa sa chope vide à côté de lui, sur le tapis, puis se leva, ouvrit un secrétaire et revint avec une liasse de billets qu'il tendit à Yako.

— Dès que l'opération de Douvres sera terminée,

vous serez emprisonné avec vos compagnons, ce qui, dans une certaine mesure, garantira votre sécurité. Vous serez libéré quand vous le jugerez bon, sous le couvert d'un transfert. A moins que vous ne préfériez un suicide « officiel », dont nous pourrions laisser filtrer la nouvelle...

Yako haussa les épaules. Pour qui connaissait à fond les usages du K.G.B., ces précautions paraissaient dérisoires.

— Je serai à Croydon pendant l'opération, dit-il. Accompagné par qui vous voudrez. Dès que l'opération sera terminée, vous donnerez le feu vert par téléphone, et je prendrai le premier avion.

Pour la première fois, l'homme jovial prit la parole :

— Tt... tt... fit-il en secouant la tête. Vous devrez vous-même mener l'opération. L'arrestation ne sera pas effectuée à Douvres même, mais plus discrètement, à un endroit que nous vous indiquerons. C'est pourquoi votre emprisonnement nous a paru plus adéquat, comprenez-vous ?

Il parlait d'une voix un peu nasillarde, sans desserrer les dents du tuyau de sa pipe. L'autre jouait avec son bracelet-montre, qu'il tenait négligemment du bout des doigts et agitait comme un métronome :

— Votre rôle de réceptionniste, dit-il, comportait aussi l'établissement des contacts ultérieurs. Quand nous serons en possession de toutes les coordonnées concernant ces contacts, vous serez tout à fait libre.

Yako se pencha en avant, en essayant de maîtriser le tremblement de ses mains. Le mégot de sa cigarette lui brûlait les doigts :

— Notre transaction avait pour objet le déchiffrage du texte, dit-il à voix basse. J'acceptais de vous donner les coordonnées d'identification des deux hommes. C'était déjà énorme, comparé à ce que vous m'offrez, à ce qui m'attend, vous ne l'ignorez pas...

L'homme maigre allait répondre, Yako leva la main et poursuivit :

— Mais cela me laissait une chance, une contre cent. Croyez-vous que je sois naïf au point de ne pas comprendre la valeur de ce que je vous apporte ? Vous me payez et vous me libérez parce que je suis la base de tout. Parce que le temps presse pour vous. Il fallait que je parle vite pour permettre votre coup de filet, n'est-ce pas ? Ceux que je vais vous permettre de ramasser, à ceux-là vous n'offrirez aucun marché, ni argent ni passeport. Ils parleront ou ils se tairont, mais il s'en trouvera toujours un pour flancher, devant tout le système de ruses et de fausses confrontations dans lequel vous allez les enliser.

L'homme maigre approuvait, comme devant l'énoncé d'un diagnostic formulé par un confrère.

— Si je vous livre tout le réseau, reprit Yako, c'est comme si je télégraphiais moi-même mes aveux à mon Service. Je n'ai plus aucune chance, cela équivaut à un suicide. Pour un million de livres, je serais encore dupe.

— Je vous comprends fort bien, murmura l'homme jovial en se penchant sur le feu pour secouer sa pipe. Mais toutes ces considérations ne sont-elles pas... comment dirais-je ? Un peu oiseuses ?

L'autre se leva et s'approcha du magnétophone. Yako entendit un léger déclic. En entrant, quand il avait aperçu l'appareil, il avait pensé qu'il était là pour enregistrer ses déclarations, en commençant par son identité, quand le moment de l'interrogatoire serait venu ; comme toujours en pareil cas. Le magnétophone n'était pas caché, et lui-même savait à quoi s'en tenir ; c'était le jeu classique, honnête.

Le tour que l'homme maigre avait fait prendre à la conversation, ses préambules concernant seulement Yako et l'objet de la transaction, le lui avaient fait oublier.

Il y eut le glissement de la bande qui se déroulait à toute vitesse, un nouveau déclic, puis l'appareil restitua le bruit de la porte qui s'ouvrait, des pas, un tintement de verre, enfin la voix « Mettons d'abord au point les formalités de notre accord... »

— Voulez-vous réentendre toute notre conversation ? fit l'homme maigre. Vous disiez que nous ne vous laissions aucune chance. Je n'ai pas à m'étendre sur les causes de votre propre arrestation, mais cette cause existe, évidemment. Nous savons à quel service vous appartenez, division VI du K.G.B. Il suffirait que cette bande soit envoyée là-bas pour que vous n'ayez réellement plus aucune chance. Vous voyez, tout est toujours relatif. Je vous laisse le soin de comparer.

L'homme jovial se leva à son tour :

— Voilà, dit-il. Il n'y aura rien d'autre. Aucun interrogatoire, aucune question sur votre grade, vos activités passées, votre curriculum. Simplement Douvres, demain matin, et vos contacts habituels. Vous disiez : marché de dupe ? Nous ne garderons rien de vous, ni fiche ni photo ; en dehors de cette bande de magnétophone, vous n'avez même pas de dossier ici. Nous vous donnons de l'argent, des papiers, et en plus de tout cela, une chose inestimable : votre secret, que vous emporterez avec vous.

Il tourna le dos à Yako, mit ses mains dans ses poches et ajouta avec un petit rire :

— Nous respectons toujours nos conventions. Nous tenons toujours parole. C'est ce qui fait la réputation de notre firme...

III

13 h 10. L'Hillman de location roulait sur la route de Londres. Yako conduisait. L'un des deux hommes qu'il avait réceptionnés à Douvres avait pris place à côté de lui, l'autre s'était assis à l'arrière. Il faisait beau, on longeait des prairies verdoyantes.

Yako s'efforçait de ne pas regarder ses compagnons, comme s'il voulait qu'ils restent dans sa mémoire ainsi que deux silhouettes anonymes, aussi abstraites que des cibles dans un stand de tir. Lui-même leur avait montré un visage fermé, strictement professionnel. Sans manifester la moindre surprise, les deux hommes n'avaient pour ainsi dire pas desserré les lèvres depuis qu'ils étaient descendus du bateau.

Celui qui était assis à l'arrière fumait des cigarettes françaises qu'il allumait l'une après l'autre. Le second regardait le paysage, un porte-documents noir posé sur ses genoux. Yako ne leur avait même pas demandé s'ils avaient déjeuné.

Il savait que l'Hillman était suivie depuis Douvres, adroitement, par relais de plusieurs voitures. Il savait aussi que le moment approchait.

Dans le rétroviseur, il aperçut les deux motards qui se rapprochaient. Ils dépassèrent la voiture, et l'un d'eux étendit le bras gauche, ordonnant à l'Hillman de se ranger sur le bas-côté.

Le voisin de Yako émit un vague grognement mais ne bougea pas.

— Police de la route, murmura Yako en freinant.

Les motards avaient mis pied à terre.

Une vieille Daimler grise rattrapait le groupe et stoppa derrière l'Hillman. Yako était seul à la voir, dans le rétroviseur. Deux hommes en descendirent et s'approchèrent. Les motards restaient debout près de leurs machines.

Sur la route, le trafic continuait. Cela avait l'air d'une scène banale, habituelle, une simple vérification pour infraction au code de la route.

Un des hommes tapota à la vitre et exhiba une carte de police. Il demanda d'abord les papiers de la voiture, puis les papiers personnels du conducteur. Les compagnons de Yako ne bougeaient toujours pas. Celui qui se trouvait à l'arrière soufflait un peu plus fort la fumée de sa cigarette, comme s'il ricanait.

Le policier leur demanda leurs propres papiers d'identité. Puis, avec une grande politesse, il leur annonça qu'ils étaient soupçonnés de transporter des stupéfiants depuis Calais et de les avoir introduits sur le territoire britannique.

Le voisin de Yako haussa les épaules en riant et dit qu'il s'agissait d'une absurde erreur et qu'il suffisait de les fouiller. Yako répétait la même chose en s'efforçant de rire lui aussi. Dans le rétroviseur, il croisa le regard gris de l'homme assis à l'arrière.

On leur demanda de descendre, tous les trois, du côté du talus. Sous le regard impassible des motards, les deux policiers palpèrent rapidement les vêtements de Yako et de ses deux compagnons. Yako pensa que c'était la première faute, car ils ne fouillaient pas comme s'ils cherchaient de la contrebande, mais comme on veut s'assurer de l'absence de toute arme.

Une fois de plus, il croisa le regard gris.

Le porte-documents était resté sur la banquette. Deux autres policiers étaient descendus de la Daimler et s'approchaient.

Plus tard, Yako se demanda si l'homme aux yeux gris avait perdu son sang-froid, ou si au contraire il avait fait preuve d'un jugement remarquable. Il profita d'un instant de flottement, provoqué par l'arrivée des nouveaux venus pour glisser ses doigts dans sa poche de poitrine et porter sa main à ses lèvres.

Un des policiers avait bondi à temps et lui tordait le bras en arrière. Un de ses collègues se pencha pour ramasser une petite capsule grise qui était tombée dans l'herbe.

On entraînait l'homme vers la Daimler. Au moment de monter dans la voiture, il se retourna pour regarder Yako.

Des menottes se refermèrent sur les poignets de Yako et de son compagnon, bras derrière le dos. Tout se passait très vite, la scène, pratiquement invisible pour les voitures qui circulaient sur la route, masquée par l'Hillman arrêtée et les motards qui se mettaient en écran.

L'un des policiers s'installa au volant de l'Hillman et le compagnon de Yako fut poussé à côté

de lui. Yako s'assit à l'arrière, près de l'autre policier. La voiture démarra, suivie par la Daimler.
Impassible, le Russe se remit à regarder le paysage,
comme si rien ne s'était passé. Yako ferma les yeux.

*

Il était maintenant seul dans la cellule d'une
prison. Une vraie prison, quartier de haute surveillance. Il y avait eu un premier interrogatoire dès
leur arrivée à Londres et une confrontation qui
avait réuni les trois hommes. Cela se passait au
siège de l'Interpol, mais Yako savait que ceux qui
les interrogeaient à présent n'appartenaient pas à
l'Interpol. La tentative de suicide de l'homme aux
yeux gris leur avait facilité le travail et permettait
de précipiter les questions.

Ses deux compatriotes restaient calmes et répon-
daient par monosyllabes. Yako se demandait s'ils
savaient déjà « exactement » à quoi s'en tenir. Ils
ne lui accordaient plus un regard. Mais il était
difficile de savoir ce que cela signifiait, car cette
attitude correspondait aussi aux instructions géné-
rales en cas d'arrestation. Les soupçons aussi...

Il savait qu'à ce même moment le contact qui, à
Londres, devait prendre les deux nouveaux arrivés
en relais, venait d'être arrêté.

Qu'un autre contact anonyme, pour lequel il aurait dû déposer un message à 23 heures, serait arrêté
cette nuit. Et, qu'à part quelques exceptions, ce
serait ensuite la réaction en chaîne, le coup de filet
sur tout le réseau.

Pendant les confrontations, il avait joué son rôle,
joué doublement la comédie. Il n'avait eu qu'à

réciter ce qui se rapportait aux instructions du Service, appliquées à ce cas précis.

Maintenant, il n'avait plus qu'à attendre.

Les deux autres devaient être enfermés dans la même prison, sans que leur motif d'incarcération puis d'arrestation soit encore précisé. Ils étaient encore dans la situation de deux étrangers suspects dont l'identité et les activités sont passées au crible.

Demain sans doute, le jeu changerait et ils feraient connaissance avec un service plus spécialisé... L'homme jovial et son collègue.

Comme le premier jour, Yako marchait de long en large dans sa cellule. Ici, il y avait une petite fenêtre, et on lui avait laissé ses vêtements.

D'un point de vue strictement rationnel, la tentative de suicide de l'homme en gris le servait. Elle équivalait presque à un aveu. Elle aurait pu servir de défense devant un tribunal du K.G.B.

« Pour une raison que j'ignore, nous étions suspectés de trafic de stupéfiants. Peut-être, pendant leur voyage, vos deux nouveaux envoyés avaient-ils commis une faute qui avait attiré sur eux l'attention de la police. J'estime que nous aurions pu nous en tirer assez facilement puisque nous ne correspondions absolument pas à ce qu'ils cherchaient. Si cet homme n'avait pas perdu son sang-froid... En voulant mettre fin à ses jours, il a brusquement aggravé la situation, orientant l'enquête sur... etc. »

Seulement, qui pourrait témoigner de ce geste ? Personne ne l'avait vu, à part les intéressés, et les policiers anglais, qui ne témoignent pas devant les tribunaux soviétiques... Et il n'y aurait jamais, pour Yako, de tribunal du K.G.B. Ou, plus exactement, il y en aurait un, mais de ceux qui rendent leurs arrêts sans que les accusés comparaissent.

A présent, il n'y avait plus qu'à continuer. En évitant de penser, surtout, qu'il venait de se trouver pour la deuxième fois au pied de ce mur qui sépare l'abstraction de la réalité, sans doute à cause de ce geste inattendu de l'homme aux yeux gris, qui lui avait donné en quelques secondes toutes ses dimensions physiques. Ce geste qui se raccordait à son regard, à sa façon de souffler la fumée de sa cigarette, à sa grimace de douleur quand le policier lui avait tordu le bras... Tout ce qui en avait fait soudain un vivant.

Il ne fallait plus regarder en arrière. C'était fini. Yako savait que si la sécurité l'avait attendu à la sortie de cette prison, il n'aurait pas pu supporter ce souvenir. Heureusement, le danger aide à oublier ce genre de choses.

Il se demanda si Moscou était déjà au courant de son arrestation. En vingt-quatre heures... Peu de chances.

Si Moscou était au courant de l'arrestation sur la route de Douvres, et du contact qui attendait la réception... Beaucoup plus de chances. Moscou finit toujours par tout savoir dans des délais stupéfiants ; même au sein du Service les prévisions en sont parfois dépassées. Comme si l'Appareil était devenu une de ces machines sensibilisées à l'extrême, presque entité humaine, comme certains ordinateurs.

On finit par redouter l'Appareil, jusqu'à la superstition, comme une idole primitive.

C'est le mystère, évidemment, comme toutes les idoles. On ignore, de l'homme ou de la femme qu'on croise dans la rue, de l'épicier ou du marchand de journaux, qui n'y est pas rattaché d'une manière ou d'une autre...

Qui n'y est pas rattaché, souvent même sans le savoir exactement, par exemple des quatre policiers ayant procédé à l'arrestation, ou des deux motards, ou même l'homme jovial, pourquoi pas.

Un quelconque bureaucrate de l'Interpol, un portier, une femme de ménage, et ici, quel gardien de cette prison ?

Plus simplement, on ignore par qui, par quel agent anonyme, inconnu, de son propre réseau, on peut être surveillé. Il existe des équipes, rattachées directement à la VIIe section du K.G.B., chargées uniquement de la surveillance des réseaux en activité.

C'est un peu une question de chance, cette surveillance s'effectuant par roulements. Mais il suffisait qu'un observateur ait été témoin, la veille de son arrestation... Aujourd'hui même, qu'on le voie à Douvres, libre...

Yako s'étendit tout habillé sur le lit.

D'une manière qu'il n'avait jamais ressentie aussi intensément, il percevait des centaines d'êtres qui, petit à petit, se rattachaient à lui, à commencer par ceux qui allaient établir son faux passeport, les employés de la gare ou de l'aérodrome, les douaniers, policiers...

Il redoutait plus son propre Service qu'il n'avait jamais redouté les Services anglais ou les autres. C'était un état d'esprit conditionné, inculqué.

Yako était trop intelligent pour être dupe de sa propre superstition, mais il pensait qu'elle le servait. Tout prévoir, jusqu'aux limites de l'absurde, et même au-delà de ces limites.

Il resta allongé, sans dormir, jusqu'à cette heure de la nuit où la porte de sa cellule s'ouvrit et où un gardien lui fit signe de le suivre.

Il n'avait même pas ouvert brusquement. Yako s'était attendu à une précipitation, à une comédie, mais tout se passait simplement, comme un élargissement un peu inusité.

Il suivit le gardien dans le couloir désert. L'autre avait refermé la porte, sans histoires. Yako pensa que les détenus des cellules voisines avaient sans doute été réveillés par le bruit inhabituel et que maintenant ils entendaient ses pas décroître avec ceux du gardien.

Qui ajouterait foi, après cela, à la nouvelle de son suicide que l'on devait répandre le lendemain dans la prison ?

Des ordres avaient été donnés, retransmis par voie hiérarchique jusqu'au gardien, qui les exécutait avec une indifférence de brute ensommeillée. Ce type à moustaches rousses qui puait la sueur aigre et poussait Yako par le bras à chaque détour des couloirs.

Une camionnette était garée dans la cour intérieure de la prison. L'homme au visage de clown était au volant. Il fit signe à Yako de monter à l'arrière.

Sur une banquette latérale, une serviette de plastique et une valise étaient posées. La serviette contenait, outre les 3 000 livres que Yako avait confiées à l'homme jovial avant son départ pour Douvres, un passeport anglais au nom de Henry Forstal, trente-neuf ans, représentant de commerce. Passeport authentifié par la photo que l'on avait prise de Yako la nuit précédente au local du S. Service.

Le passeport était agrafé à un permis de conduire international.

Au fond de la serviette, un revolver Smith and Wesson apparemment neuf et soigneusement graissé, barillet garni, et une petite boîte de munitions.

— Un compte de 7 000 livres a été approvisionné cet après-midi à la Chase Bank, dit l'homme en embrayant.

La voiture franchit le portail. 2 h 30 du matin, une nuit encore douce, et l'immense halo de lumière de cette ville qui ne dormait jamais.

La valise contenait des vêtements. Un costume de drap foncé et un chandail. Yako se changea et mit ses anciens effets dans la valise. Le revolver pesait d'un poids amical dans la poche droite de la veste, contre sa hanche.

Il alluma une cigarette et inhala profondément la fumée. Puis il ramassa valise et serviette et enjamba le dossier pour s'asseoir à côté du chauffeur, qui lui dit entre ses dents qu'il allait le laisser du côté de Regent Street, à proximité d'une station de taxis.

Ils se séparèrent sans un mot. Yako descendit, et l'autre le regarda s'éloigner, avec une expression de froide curiosité. Puis il eut un léger haussement d'épaules, bâilla et remit la voiture en route.

Autant que Yako pouvait s'en rendre compte, la camionnette n'avait pas été suivie depuis la prison. La rue qu'il traversait à présent paraissait déserte. Au bout, c'était l'avenue, brillamment éclairée, avec encore des silhouettes attardées et des voitures.

Comme la vraie frontière d'un nouveau pays. Yako s'avança. La chasse commençait.

IV

Il avait abandonné dans la camionnette le porte-documents et la valise avec ses vieux vêtements. Ceux qu'il portait semblaient taillés à ses mesures et sentaient le drap neuf. Mais il avait gardé ses chaussures, qui le faisaient toujours souffrir.

Il prit un taxi, qui le déposa à Victoria Station.

Au fond, ce qu'il ressentait maintenant n'était pas tellement différent de l'état d'esprit que l'on traîne au cours d'une mission opérationnelle particulièrement dangereuse. La dernière qu'il avait accomplie, pouvant mériter cette qualification, datait de trois ans. Washington, 1965 ; par un été torride. Sur le moment, il crut qu'il n'avait dû son salut qu'à un hasard incroyable. Plus tard, en analysant de sang-froid tous les éléments de cette mission, il comprit qu'il n'y avait pas eu de hasard : simplement une succession de gestes adaptés à chaque événement. Sans trop s'en rendre compte, dans une sorte d'état second, il avait fait ce qu'il fallait faire, par réflexe, comme un animal bien entraîné.

Ce souvenir le réconfortait. Ce fut à la suite de quelques missions de ce genre que le Service lui assigna ce poste de « résident » à Londres, attaché à une antenne sédentaire.

Il n'entra pas tout de suite dans la gare, mais en fit le tour. Il connaissait l'heure du train pour Douvres-Calais-Paris, mais avait décidé de ne prendre son billet qu'au dernier moment.

Rien ne pouvait laisser supposer qu'il fût déjà pris en chasse, mais à présent ces considérations n'avaient plus d'importance. Il devait agir comme il le faisait autrefois, en prévoyant toujours le pire et les solutions les plus difficiles.

Cela le ramenait trois ans en arrière, et cette action, qui pour le moment ne dépassait pas encore les limites de ses réflexions, paraissait soudain le laver de toutes les fades besognes accomplies depuis ce temps. Il glissa sa main droite dans la poche de sa veste et caressa du bout des doigts le canon du revolver. Contre sa poitrine, il y avait la liasse de banknotes.

Il prit un billet pour Eastbourne, dont le train partait à 4 h 35. Il gagna le hall des départs, parut musarder en attendant l'heure, pour sauter brusquement dans le train de Douvres qui démarrait.

Il prit place dans un compartiment occupé par un couple âgé et deux jeunes filles. Quand il fut assis, une des jeunes filles leva les yeux par-dessus le livre qu'elle avait ouvert et le regarda avec curiosité.

Yako subit ce regard avec indifférence. Il alluma une cigarette tandis que le train sortait de la gare. Il se força à la fumer entièrement, puis il se leva et longea le couloir jusqu'aux toilettes en jetant un rapide coup d'œil dans chaque compartiment.

Il s'enferma dans la cabine et se regarda dans la glace. Il ne se trouva rien de particulier, à part son menton mal rasé. Il se dit que la fille lui avait sans doute simplement trouvé une ressemblance avec quelqu'un. Ou bien l'avait-elle dévisagé à cause de sa bouche et de ses yeux. On lui avait dit qu'il ressemblait à un acteur américain d'avant-guerre : Edward G. Robinson. Un jour, il avait eu la curiosité d'aller voir un vieux film de Robinson et n'avait pas trouvé la ressemblance tellement frappante.

Il y a beaucoup de gens de par le monde qui ressemblent à des grenouilles, d'autres à des chèvres, chiens, chevaux, poissons, toute une zoologie humaine.

Yako regagna son compartiment et s'assit en face de la fille qui resta plongée dans son bouquin.

Il avait déjà pensé à la chirurgie esthétique. Il y pensait beaucoup depuis deux jours. Il pourrait se faire transformer le visage à Paris, ou à Nice ; faire en outre une cure d'amaigrissement qui modifierait sa silhouette...

Mais cela prenait du temps. Et Moscon savait que cette idée vient en premier lieu à tout homme dans sa situation.

Il y a deux périodes dangereuses : l'immédiat, c'est-à-dire pendant tout le temps qu'on prend à brouiller sa piste et à trouver un abri sûr. Ensuite, beaucoup plus tard, parfois des années après, quand la prudence s'est émoussée et qu'on se croit oublié.

Le K.G.B. n'oublie jamais, parce qu'il n'est pas un être humain doué d'une mémoire plus ou moins vulnérable, mais parce qu'il est une machine. Un immense système de fiches à connexions électroniques ramifié sur le monde entier. Il y a les fiches à jour, et celles qui restent en instance.

Des équipes d'hommes spécialisés sont au service de ces fiches et les mettent à jour, les unes après les autres. Cela représente énormément d'argent. Moscou consacre des milliards de roubles à l'exécution des traîtres. Ce n'est pas pour le châtiment des traîtres qui, à ce moment, représentent vraiment peu de chose, c'est pour l'exemple, comme de tous temps et partout. Mais Moscou y apporte un soin tout particulier. Comme aurait dit l'homme jovial : une certain manière, là aussi, de justifier la réputation de la firme...

Le jour se levait ; l'homme et la femme âgée sommeillaient en faisant la moue. Peu d'allées-venues dans le couloir. Des prairies et des arbres semblaient émerger de l'ombre. La bouche ouverte, une des jeunes filles fixait stupidement le bout de ses pieds. L'autre tournait les pages de son livre.

Yako alla fumer une cigarette dans le couloir. Il paya au contrôleur son trajet jusqu'à Douvres.

Le jour était tout à fait levé quand le train entra en gare. Le ferry était à quai. Yako sauta à terre avant que le train fût tout à fait arrêté, il traversa la gare, prit un taxi et se fit conduire à l'aérodrome de Folkestone.

Il connaissait l'heure de l'avion pour Paris. Non pas Orly, mais le Bourget.

Au cas où il aurait été pisté, il donnait ainsi à son suiveur éventuel l'impression d'un semage sur une fausse direction : Douvres, Calais, la France.

Il rebroussait chemin, faisait un crochet, mais pour reprendre en avion la même direction. Ainsi il gagnait du temps. Et l'avion était plus sûr que le bateau. Il devait éviter deux choses : la grande foule, parmi laquelle il es possible d'abattre un homme (poignard, piqûre) avec de grandes chances de passer inaperçu et de s'en tirer. Ensuite, la solitude, endroit désert et, malheureusement, chambres d'hôtels.

Les tueurs du K.G.B. ne sont jamais en mission sacrifiée, sauf dans les cas de grande urgence, quand le « sujet » risque encore de parler et que de grands intérêts dépendent de son exécution immédiate.

Quand il s'agit de la simple exécution d'un traître, ils ont ordre de peser leurs risques et de n'agir qu'avec le maximum de chances. Moscou ne sacrifie pas à la légère ces personnages dont l'instruction et l'entraînement représentent beaucoup de dépenses.

Leur tactique est un peu celle des loups. Ils suivent le gibier en attendant le meilleur moment d'attaquer. Et bien rares parmi eux sont ceux qui courent le risque de tomber sous les lois du pays dans lequel ils opèrent. Des techniciens du crime parfait.

*

L'avion atterrit au Bourget à 10 h 50. Yako changea cinquante livres et prit un taxi. Il connaissait bien la ville, il y avait travaillé à deux reprises autrefois. Il se fit conduire boulevard Haussmann et déjeuna dans une brasserie.

Plus que Londres, Paris donnait encore l'impression d'une ville vidée par les vacances, nonchalante et engourdie par la chaleur de ce début de septembre. Il y avait beaucoup de touristes, qui se mêlaient au flot de citadins fraîchement bronzés, la première vague des retours.

Par nécessité de reprendre des forces plus que par goût, Yako mangea un poisson à la mayonnaise et un chateaubriand épais. Il n'avait jamais été très gourmand, et la nourriture française le surprenait plus que lors de ses premiers séjours ; comme elle eût pu surprendre le palais d'un Anglais casanier à son premier voyage, sur le continent.

Il avait peu dormi depuis quarante-huit heures et se sentait étourdi de fatigue. Il ne but ni vin ni alcool mais avala successivement deux cafés forts.

Après quoi il chercha un coiffeur et se fit raser ; à demi allongé dans le fauteuil, les yeux mi-clos mais malgré tout attentif à ce qui se passait dans la rue, de l'autre côté des vitres, il connut son premier moment de détente.

Un salon de coiffure disposé comme celui-ci est un excellent poste d'observation, avec la glace devant soi comme un immense rétroviseur. Deux autres hommes occupaient les fauteuils voisins et se faisaient couper les cheveux, le nez baissé sur des revues. Personne n'attendait son tour, le salon venait d'ouvrir.

Pour prolonger ce répit, Yako se fit couper les cheveux. Autrefois, il parlait français très couramment, à présent il écorchait la langue comme un Anglais, et le garçon lui répondait en petit-nègre, exagérant, avec des signes.

En sortant du salon de coiffure, il se dirigea vers une banque et changea trois cent cinquante livres. Il savait qu'il était inutile à présent de chercher avec beaucoup d'attention à dépister un suiveur éventuel. Dans le salon de coiffure, son observation correspondait à peu près à un coup de périscope lancé par un sous-marin en plongée. Au fond, ce n'était presque rien d'autre que la curiosité.

S'il continuait à ne négliger aucune des précautions élémentaires, il ne risquait à peu près rien pour le moment. C'est comme dans les jeux d'enfants où une certaine limite, un cercle, met hors d'atteinte.

Ici, c'était la proximité de témoins éventuels, et de la police de cette ville bien surveillée. Il y a des quartiers, des rues, où une agression en plein jour, un meurtre sont impensables, à moins d'avoir été soigneusement préparés.

La sécurité immédiate de Yako, c'était sa mobilité au sein de ces limites. Pour le moment.

Quand son avion avait atterri au Bourget, il n'était pas impossible que l'aérodrome ait été déjà surveillé à son intention. Ou, plus exactement, que son signalement, ses coordonnées, aient été déjà communiqués à l'homme de l'Appareil ou du Parti, au sédentaire chargé de la surveillance de l'aérodrome. Souvent un simple employé, hôtesse ou douanier, porteur ou marchand de journaux.

Pas « particulièrement » le Bourget. L'observateur, l'homme en place, est installé dans presque tous les grands aéroports du monde entier, à des milliers d'exemplaires. Son entretien n'est pas onéreux, le plus souvent il travaille par conviction, pour rien.

Il suffit à Moscou d'émettre un signalement sur une certaine fréquence pour qu'il soit retransmis, diffusé à ces milliers d'exemplaires, en un peu moins de deux heures.

Comme il admettait l'éventualité d'avoir été pris en charge depuis sa sortie de prison, Yako admettait celle d'être suivi, de relais en relais, depuis son arrivée en France. Si cette hypothèse s'avérait juste, elle n'était pas d'une importance capitale.

Dans une certaine mesure, cela ne le gênait pas et pouvait s'insérer dans ses projets. Il continuait de donner à ses suiveurs l'impression de vouloir brouiller sa piste par les moyens classiques, ce qui pouvait endormir leur attention.

Mais il y avait aussi autre chose : même si les aérodromes (ainsi que les ports et les gares de trafic international) n'avaient pu être alertés avant ce matin 10 h 50, il était à peu près sûr qu'à cette heure-ci, 15 h 15, son signalement était transmis par Moscou à toutes les *rezidenzias* soviétiques du monde entier, collationné par tous les réseaux et retransmis à tous les affidés, officiels ou non, de l'Appareil, jusqu'aux militants de choc, *rapkors* et autres, des succursales mondiales du Parti.

A la vitesse des ondes radio. Et d'une manière aussi banale qu'une simple fiche de service quoti- dienne. C'était cela, le secret. Des millions d'yeux prêts à l'identifier, et dont la plupart ignoreraient toujours pourquoi il était recherché, et même qui il était.

Avec la même vitesse, son identification serait renvoyée à Moscou, qui alerterait en quelques mi- nutes l'équipe la plus proche, et ainsi de suite...

C'était déjà fait, le filet tendu *même si Moscou ne le savait pas encore coupable*. Il suffisait qu'il soit suspect de trahison. Identifié, reconnu, libre, en un point quelconque du monde, il devenait coupable. Sans le moindre risque d'erreur, un procès rapide et d'une extrême simplicité.

Et ce vaste déploiement n'était pas créé à son intention, pas plus que le métro dans lequel il descendait ne fonctionnait à son seul usage. Ce n'était même pas un déploiement, mais un des simples rouages d'une organisation déjà vieillotte, routinière, administrative.

Yako descendit aux Champs-Elysées et acheta des mocassins de cuir souple. Puis il choisit un costume sport, de confection, et une chemise de polo dont il garda le col ouvert. Cela correspondait à un besoin vague, qui n'était peut-être après tout que de confort personnel, beaucoup plus que l'espoir puéril de changer d'aspect.

Il avait décidé de partir dans la nuit et il devait faire effort pour résister à la tentation de rester à Paris jusqu'au lendemain : la tentation d'une chambre et d'un lit. La fatigue en ce moment était sa pire ennemie, celle qui pouvait émousser son attention et lui faire commettre des fautes irréversibles.

Il savait qu'il pouvait courir le risque d'une nuit passée à l'hôtel ; avec à peu près sept chances sur dix d'en sortir vivant le lendemain. Les chances ne commencent à s'amenuiser sérieusement qu'à partir du second jour dans le même hôtel.

La chambre anonyme où échoue le gibier à bout de fatigue, est un des endroits de prédilection de ce genre de chasseurs. Un de ces « lieux de solitude », faux repaire, facile à forcer ou même à piéger pendant le sommeil du gibier. Tout s'y passe en douceur, un simple exercice de doigté pour les spécialistes de la mort silencieuse.

Les trois chances contre étaient de trop. Yako entra dans une pharmacie et acheta des pastilles vitaminées, puis il but encore un café. Il s'était assis dans un coin de ce petit bar élégant où des types au comptoir parlaient de chevaux. Il demanda un plan de Paris, l'annuaire et de quoi écrire. Il étudia soigneusement le plan et releva quelques adresses sur l'annuaire. Puis il se fit indiquer le plus proche bureau de poste.

Il téléphona à un garage de la porte Champerret et demanda ce qu'il y avait comme voitures d'occasion.

— L'aspect n'a pas d'importance, je veux seulement qu'elle soit en bon état de marche, pneus et moteur.

Il y avait une Opel Rekord, vieille de dix ans. La carrosserie avait besoin d'être repeinte, « mais elle vient d'avoir un rodage de soupapes », répétait la voix grasseyante. Huit cents francs, visible quand on voudrait.

— Préparez-la, dit Yako. Je passerai la prendre à sept heures.

— C'est une blague, non ?

— Non, fit sèchement Yako. Si vous ne croyez pas, je paie par mandat télégraphique urgent, vous aurez l'argent avant sept heures. Il nous la faut pour un film et je n'ai pas le temps de me déplacer. D'accord ? Si c'est non, dites...

Le type était d'accord ; en France, le mot film vaut toutes les explications. Il y a comme cela quelques mots clés dans chaque pays. Beaucoup plus utiles qu'on ne pourrait croire à première vue : on les apprend aux agents en stage de formation, cours de « psychologie populaire ».

Yako se fit conduire dans un magasin d'articles de sport, où il acheta un duvet himalaya, un ruck-sac, une vache à eau de dix litres, une grosse torche électrique, un pantalon de velours côtelé et un chandail de laine à col roulé.

Il fourra tous ses achats dans le sac, pria la caissière de lui appeler un taxi, qui s'arrêta devant le magasin cinq minutes plus tard. Yako monta et donna au chauffeur l'adresse du garage. Il attendit qu'un feu rouge s'allume à une cinquantaine de mètres devant eux. Pendant que le taxi ralentissait, Yako tendit un billet par-dessus l'épaule du chauffeur :

— Je suis trop en retard, déposez ce sac à l'adresse que je vous ai donnée. Dites que c'est pour le type qui a téléphoné au sujet de l'Opel.

Il sauta à terre dès que la voiture eut stoppé et gagna le trottoir en courant.

S'il avait été suivi, il venait de réussir le décrochage « à la surprise ». Il s'engouffra dans une bouche de métro, en ressortit de l'autre côté de l'avenue et attrapa un autobus au vol.

Son matériel allait être tranquillement livré sur place et il n'aurait plus qu'à récupérer sa voiture à l'heure prévue, sans que l'adresse du garage ait été éventée.

Il ne lui restait plus qu'à faire deux achats, plus une carte des routes de France qu'il étudierait soigneusement pendant le temps qui lui resterait.

*

A 20 h 30, Yako roulait sur l'autoroute du Sud. A l'arrière de l'Opel, se trouvaient le rucksac, un fusil de chasse à viseur télescopique, serré dans sa gaine de toile, et un sac rempli de boîtes de conserves.

La nuit tombait quand il traversa la forêt de Fontainebleau. Il bifurqua brusquement dans une descente, s'engagea dans un chemin de traverse, éteignit ses phares et stoppa. Il descendit et revint sur ses pas, la main serrée sur la crosse de son revolver.

Sur la route, les voitures continuaient à circuler à grande vitesse, comme deux courants lumineux qui se croisaient. Apparemment, aucune ne s'était arrêtée.

Yako retourna à l'Opel et démarra en gardant toujours ses feux éteints. Il roula très lentement sur quelques centaines de mètres, jusqu'à ce qu'il devine l'embranchement d'un autre chemin, plus étroit, dans lequel il s'engagea.

Il gara la voiture sous un couvert, prit la carabine et s'allongea sur le sol. Il attendit ainsi un quart d'heure, en prêtant l'oreille. Il entendait un grondement continu qui parvenait de la route, étouffé par la futaie. Il percevait aussi progressivement les bruits de la forêt, qui semblait se réveiller petit à petit dans le silence, comme si son intrusion l'avait mise en alerte. Des craquements légers, des grignotements, froissements furtifs.

Une obscurité épaisse, une odeur d'humus et de sève et celle, plus tenace, des premières feuilles mortes qui tapissaient le sol, qui continuaient à tomber dans un imperceptible froufroutement soyeux, au moindre souffle de brise.

Yako chercha à tâtons son sac de couchage et sa lampe, puis il s'engagea en pleine futaie, sa carabine sur l'épaule, la main en avant, palpant les troncs dont il finissait par deviner la masse plus dense.

Enfin, il étendit son sac, se roula dedans et s'endormit d'une masse.

*

50

Cet après-midi-là, le capitaine Tcherkov avait réuni quatre hommes dans la petite salle de conférence de l'annexe du centre opérationnel du K.G.B., à Moscou. Il ne s'agissait que d'un ultime *briefing*, un résumé rapide des instructions données trois heures auparavant.

— L'objectif que vous avez pour mission de détruire est donc signalé sur le territoire français, répétait Tcherkov. Le premier contact avait été rompu ce matin en Angleterre, pour être repris quelques heures plus tard à Paris. Il est peut-être rompu une nouvelle fois à l'heure qu'il est. Vous savez maintenant pourquoi cette détection spéciale est rendue difficile, pratiquement inopérante, dans les grands centres urbains...

Assis derrière des petites tables, comme dans une salle de classe, les quatre hommes suivaient attentivement l'exposé de Tcherkov. Ils étaient entièrement équipés, prêts au départ qui aurait lieu dans une vingtaine de minutes. Trois d'entre eux étaient jeunes, avec des visages candides et sérieux d'étudiants. Le quatrième, Ivan Koubiatz, l'aîné et le responsable de l'opération, les observait du coin de l'œil sans perdre une seule des paroles de Tcherkov qui allait et venait d'un bout à l'autre de l'estrade, une main enfouie dans la poche de sa veste.

— Dans le cadre d'une opération expérimentale, poursuivait Tcherkov en souriant, nous ne pouvons que nous féliciter des obstacles. Vous en rencontrerez d'autres. Je souhaite même que le hasard les accumule...

Il s'adressait plus particulièrement à Koubiatz qui approuvait à petits hochements de tête. Koubiatz avait formé cette équipe qui avait brillamment franchi toutes les épreuves de la théorie. Maintenant, le moment était venu de le tester dans cet exercice à longue portée, en territoire étranger. Du résultat obtenu dépendraient les notes, les affectations ultérieures et la future promotion du responsable. Koubiatz attendait beaucoup de cet examen.

Le regard de Tcherkov le quittait, se posait tour à tour sur chacun des trois garçons :

— Nous n'ignorons pas non plus vos obstacles personnels, intérieurs, qui sont toujours les plus difficiles à surmonter pendant la première mission. Nous les avons tous connus. La solitude, le sentiment d'abandon. Ce ne sont que des phénomènes psychologiques. Je répète, ajouta-t-il en posant de nouveau ses yeux gris sur Koubiatz, que tout le succès de l'opération dépendra de votre dispersion presque continuelle. En ce qui concerne la détection, autonomie complète de chacun des membres de votre section. Ne vous regroupez qu'en cas de nécessité absolue. Mais l'ordre de feu ne pourra être donné que par votre chef et selon sa propre initiative.

Le plus jeune des trois garçons se permit un léger sourire. Les considérations psychologiques l'avaient amusé comme les conseils un peu radoteurs d'une vieille grand-mère. La fin de la tirade aiguisait son sens de l'humour. Tout cela ressemblait à un jeu...

V

Yako se réveilla à l'aube. Il faisait frais et humide. Il changea son costume de ville contre le pantalon de velours et le chandail, puis il reprit la route en suivant l'itinéraire qu'il avait étudié sur la carte et qui évitait les voies de grande circulation.

Sa tactique était simple et il pensait qu'elle serait efficace. Contrairement à tous les hommes traqués qui cherchent toujours un refuge immédiat le plus loin possible en couvrant de grandes distances, il avait décidé de se servir, non de l'espace, mais du temps. Une disparition totale, une rupture de tous contacts humains pendant deux semaines, un « trou », qui allait effacer toutes les traces.

Comme un gibier poursuivi qui se bauge dans un cours d'eau ou dans un marécage.

Là où il allait, personne ne pourrait plus le signaler pendant quinze jours. Et ce laps de temps ferait beaucoup. Ne donnant plus aucun aliment à la recherche, son cas perdrait sa fraîcheur, l'élément de nouveauté qui aiguise l'attention des chasseurs et des observateurs à chaque nouveau signalement.

D'ici quinze jours, il y aurait probablement d'autres fiches mises en circulation, d'autres ordres du jour.

Dans tout le contexte, ce n'était qu'une toute petite chose, mais elle avait sa valeur. Une valeur provisoire, comme tout ce qu'il pouvait s'attendre à trouver à présent.

Yako roula toute la journée sans descendre de voiture, ne s'arrêtant pour faire le plein qu'aux petits postes de villages. Cette région de France où il se rendait, il en avait entendu parler par hasard en écoutant la conversation de deux hommes dans un train. Cela datait de plusieurs années, mais le souvenir lui en était revenu intact.

Il arriva dans la Drôme dans la nuit, par le col de Rousset. De petites routes le menèrent à Nyons, où il bifurqua en direction de Montbrun. La lune éclairait de hautes collines aux sommets pelés, les villages qu'il traversait se faisaient de plus en plus petits et de plus en plus rares.

La route suivait maintenant un torrent encastré entre les collines et la masse d'une vraie montagne. « Des sommets où personne ne met jamais les pieds depuis des siècles, avait dit un des hommes. A partir de trois cents mètres, des terres presque vierges. » Le cerveau de Yako avait enregistré cette conversation, machinalement. Peut-être son subconscient l'avait-il gardée gravée en prévision d'une situation comme celle où il se trouvait.

Il bifurqua dans un sentier empierré qui montait à flanc de colline. L'état du chemin laissait prévoir qu'il n'était plus utilisé depuis longtemps. Crevassé d'ornières, il s'était affaissé du côté du ravin. Yako avait éteint ses phares, le clair de lune suffisait pour se guider ; il roulait en première, à la vitesse d'un tracteur.

Au bout de deux cents mètres, le chemin se

perdait, envahi par le thym et des bouquets d'épineux qui le marbraient en plaques. Enfin, une profonde crevasse, large de plus de cinquante centimètres, le barrait de part en part, comme une cassure.

Yako poussa le moteur à fond et passa. La voiture rebondit, il y eut à l'arrière le claquement sec d'une barre de suspension qui cédait. Puis elle continua d'avancer dans la garrigue, cahin-caha, patinant, tanguant comme une vieille barque.

A moitié dérapant, Yako la laissa glisser jusqu'à un bosquet de pins dans lequel elle s'enfonça, presque couchée sur le flanc comme un animal fourbu. Yako descendit, sortit son matériel et passa vingt minutes à camoufler entièrement la voiture.

Puis il se chargea et grimpa en direction du sommet.

*

Il ne quittait plus ces déserts. Il dormait le jour, aux alentours de midi, et toujours sur les points les plus hauts qu'il repérait soigneusement au cours de ses marches de nuit. Comme une bête sauvage, il ne dormait jamais au même endroit, mais ses gîtes successifs restaient circonscrits dans un certain secteur.

Parfois, une détonation répercutée dans les montagnes annonçait la présence d'un chasseur. Mais cela restait toujours assez lointain. D'ailleurs, au cours de ses veilles, Yako s'était vite aperçu qu'à part quelques nids de renards, ces collines étaient vides de gibier.

Il avait repéré les points habités par les feux qui

commençaient à briller au coucher du soleil et s'éteignaient vite. Quelques points lumineux, épars dans les collines. En vingt-quatre heures, son oreille s'était exercée, et il percevait tous les bruits de la route, reconnaissait le lointain grondement d'un camion, la pétarade d'un vélomoteur. Comme les lumières des maisons, ces bruits s'éteignaient, à de rares exceptions près, une ou deux heures après le coucher du soleil.

La première nuit, il avait rempli la vache à eau au torrent et il l'avait camouflée sur le premier sommet où il avait dormi. Il y vint boire pendant les autres nuits, ce qui lui évitait de redescendre et de traverser la route. Les dix litres devaient durer toute la première semaine. Une seule fois par vingt-quatre heures, il s'emplissait l'estomac d'eau. Il se nourrissait par petites quantités des conserves et des fruits secs qu'il avait achetés à Paris.

Le temps restait beau et sec, les nuits parfois illuminées par des orages sans pluie, et toutes les collines crépitaient, l'air avait une odeur de silex. Un pays minéral, sans chants d'oiseaux, comme s'ils avaient déserté ce monde noir et blanc, ou comme s'ils s'étaient fait exterminer.

La nuit, Yako installait son campement sur un sommet. Il aplanissait les pierres, étendait son duvet près des deux sacs, puis il s'éloignait, armé de sa seule carabine. Il se cachait à trente, cinquante mètres, et il prenait l'affût.

Un affût attentif, jamais distrait, qui se prolongeait bien après le lever du jour, jusqu'au moment où il pensait pouvoir regagner son sac et dormir. Il dormait alors par petits sommes, s'éveillant pour écouter, s'assurer du silence autour de lui. La crosse du revolver dépassant de la veste roulée en boule sous sa tête, et la carabine à portée de la main.

Pendant ses affûts nocturnes, il ne souffrait pas du froid ; à vrai dire, il ne souffrait de rien, ni de la soif, même quand le soleil tapait, ni de l'inconfort de ses veilles. Allongé sur le ventre, la crosse de la carabine contre la joue, ou accroupi, ou assis, adossé à un de ces troncs déchiquetés par la foudre. La lune entrait dans sa pleine phase et se reflétait sur les pierres comme sur de la neige.

Yako s'était accoutumé à cette vie, sans effort, comme il s'était toujours accoutumé à tout. Les premières nuits, son cerveau avait fonctionné sur sa lancée habituelle, brassant des souvenirs mêlés à de vagues projets d'avenir. Puis il en était venu à ne plus penser, ou peut-être à ne plus accorder d'attention à ce qu'il pensait. Le film continuait à se dérouler dans sa tête comme dans une salle de cinéma vide.

Lui, il était au-dehors, veillant sur le silence comme sur un enfant, suivant le lent déplacement du clair de lune comme un projecteur. Il ne fumait plus, et de cela non plus il ne ressentait pas la moindre gêne. Il percevait des odeurs nouvelles, des bouffées imperceptibles qu'il reconnaissait, veille après veille.

La huitième nuit, il descendit au torrent pour s'approvisionner d'eau. Il était deux heures du matin. Agenouillé pour remplir la vache, Yako entendit un bruit derrière lui, comme des pierres qui s'éboulaient.

Il se retourna et, du même geste, empoigna la carabine en se plaquant au sol. Il ne percevait rien, il n'avait pas l'impression d'une présence. Ici, la montagne masquait le clair de lune et tout son flanc était dans l'ombre.

Il y eut encore un léger froissement de branches, puis plus rien. En rampant, Yako se laissa glisser dans le lit du torrent presque à sec. Il abandonna la vache à eau et continua de ramper silencieusement sur les rochers, en suivant le lit, sa carabine à bout de bras.

Il se glissa dans un fourré et attendit. Au bout de dix minutes, il regagna la route en pensant qu'il avait sans doute effrayé un renard, venu boire lui aussi. Il alla récupérer son eau et commença à gravir la colline. La courroie de la vache lui sciait l'épaule et il finit par monter d'une seule traite, sans s'arrêter pour écouter.

Il arriva au campement, se pencha pour se débarrasser de son fardeau et se redressa aussitôt, tous les sens en alerte.

Il se baissait lentement, la crosse de la carabine sous l'aisselle, posait un genou en terre, surpris en terrain découvert, en plein clair de lune. Cherchant désespérément d'où émanait cette présence dont il avait maintenant la certitude.

Des bruissements feutrés, d'imperceptibles grattements d'épines frottées. Cela venait de la droite, du chemin qu'il avait suivi pour monter.

Il retint juste à temps son doigt sur la détente. La bête se découvrait ; sortant de l'ombre, elle avançait lentement, en flairant avec précautions, levant la tête à petites saccades, hésitant. En terrain découvert à son tour, comme attirée malgré elle, l'échine bombée, la queue basse.

Un chien. Un grand chien à longs poils, avec une queue de renard. Décrivant un crochet autour du duvet et de l'homme, se rapprochant, ployé sur ses pattes, à demi rampant et la tête de côté, enfin tendant le cou pour flairer et remuant la queue.

Yako avança la main doucement, le chien ne recula pas mais se baissa encore, à ras du sol, et se laissa toucher le museau, les poils humides autour de la gueule. Yako eut un rire silencieux en pensant que c'était sans doute lui, l'autre buveur du torrent, qui l'avait ensuite suivi à la trace.

Le chien se redressait, s'asseyait droit et le considérait avec attention. Yako posa la carabine sur le sol et lui palpa le cou. Pas de collier. La main de l'homme descendit sur l'échine, efflanquée, osseuse, les poils rêches de poussière. Un vagabond, ou un échappé d'une ferme. Ou simplement un chien en maraude, en cavale.

Yako connaissait bien les chiens, il en avait eu, autrefois. Pas de nationalités pour les chiens, les grands gardiens de vaches comme celui-là sont les mêmes en Russie qu'en France.

Mais celui-là était maintenant capable de le faire repérer d'une manière ou d'une autre. En retournant chez lui et en revenant ici, par exemple, en entraînant un gosse ou un chasseur. Ou en amenant d'autres chiens, en aboyant.

Yako ramassa la carabine, lentement, et glissa son doigt contre la détente. D'un mouvement imperceptible, le canon se tourna en direction du chien. Yako voulait avoir le temps de tirer avant que la bête prenne peur.

Le chien ouvrit largement la gueule, comme s'il riait, et il remua joyeusement la queue. Yako reposa la carabine et soupira. Il ne se serait pas laissé avoir par un homme...

Il ouvrit une boîte de sardines et la vida sur une pierre plate. Le chien suivait tous ses mouvements, la langue pendante. Il engloutit les sardines d'un coup de gueule et vint poser son museau sur le genou de Yako qui s'était accroupi.

Yako posa sa main sur la tête du chien et se mit à l'injurier doucement, amicalement, en russe. Il n'avait plus parlé sa propre langue depuis des années. Entre les membres du réseau, les contacts se faisaient en anglais ; on en arrivait vite à penser, même, dans cette langue.

Sous le clair de lune, le chien le regardait, les yeux levés. Il eut un petit jappement bref, dégagea sa tête et s'allongea près du duvet, le museau au ras de terre. Du coin de l'œil, il ne cessait d'observer Yako.

*

Il n'aboyait pas et il ne cherche pas à retourner d'où il venait. Il s'était installé en nomade et il suivait silencieusement Yako dans ses déplacements nocturnes. Il était là pendant ses veilles, immobile et ne grondait jamais au vent ou au froissement des branches ; les rumeurs lointaines de la route le laissaient insensible.

Le jour, quand Yako dormait, le chien se couchait à côté de lui, et Yako s'aperçut qu'il veillait. Il ne savait pas ce que ce chien valait comme gardien, et sa présence ne relâcha jamais sa prudence.

La onzième nuit de veille, après l'habituel changement de camp, Yako avait pris l'affût. Il ne croyait plus vraiment à la nécessité de ce qu'il faisait ; à vrai dire, il continuait par discipline, et un peu pour rompre la monotonie de cette existence. Comme un prisonnier ou un naufragé se créent des obligations, s'inventent des horaires.

La lune était entrée dans sa dernière phase, et sa lumière déclinait. Il avait plu la veille, une pluie torrentielle qui avait duré toute la matinée, trempant duvet et sacs, obligeant l'homme et le chien à chercher abri dans une pinède en contrebas.

Maintenant, le ciel restait parsemé de nuages très hauts qui couraient vers l'est. La température s'était rafraîchie, et Yako, assis sur les pierres, sa carabine sur les cuisses, se demandait s'il ne serait pas obligé de partir avant la fin de la deuxième semaine. Il partageait ses provisions avec le chien, et il n'en restait presque plus.

Il y avait aussi le problème de l'eau. Le chien buvait sur la réserve, jamais il ne descendait au torrent pour son propre compte. Les précautions que Yako prenait au sujet du torrent pouvaient paraître exagérées, elles ne l'étaient pas tellement. Ce segment de route qu'il devait traverser pour s'y rendre aboutissait à deux villages, distants l'un de l'autre de dix kilomètres environ.

Il suffisait de peu de choses, un cycliste attardé, un chasseur nocturne, n'importe quoi, pour qu'il coure le risque d'être aperçu. Signalé comme vagabond ou braconnier, les langues se délient vite dans toutes les campagnes. « On a vu quelqu'un... Un type qui a l'air de se cacher... » Des bruits qui suintent jusqu'à la gendarmerie, et on oriente les patrouilles de ce côté.

Découvert par les gendarmes, armé, passeport étranger, pas de domicile en France. Des histoires. Et toujours l'inévitable entrefilet dans le journal local. Ça va vite...

Peu de chances pour qu'un témoin se trouve juste là au moment où il traverse la route, aller et retour, évidemment. Mais le calcul des probabilités ne tient pas dans certaines circonstances, et Yako ne voulait pas laisser une seule chance traîner du mauvais côté.

Il pensait à ces choses-là, il était un peu plus de trois heures du matin, quand le chien gronda, imperceptiblement. C'était la première fois. Yako se tendit et prêta l'oreille ; il n'entendait rien.

Le chien se plaqua contre sa jambe ; Yako sentit son corps qui se raidissait et qui tremblait. La lune éclairait à ce moment dans une large trouée de nuages, et de l'endroit où il se trouvait Yako avait vue sur toutes les approches du campement.

Il posa la main sur le museau du chien et s'aperçut qu'il avait tourné la tête. Très lentement, Yako se retourna. Il n'y avait rien. Des buissons d'épineux, quelques chênes-verts, rabougris. Maintenant le chien haletait, les muscles tendus, prêt à bondir. Yako posa le poing sur ses reins et l'aplatit au sol, doucement.

Soudain, il vit quelque chose se déplacer, ou plutôt changer de volume, parce que cela se déplaçait devant lui, droit sur lui.

Et cela prit corps dans le clair de lune, une silhouette courbée, dans une marche incroyablement silencieuse. L'homme s'arrêta, comme s'il hésitait. Il se trouvait maintenant à une trentaine de mètres. Vraisemblablement, il n'avait pas aperçu Yako, pas encore ; il se penchait, se redressait au bout de quelques secondes, puis se remettait en marche, toujours sans le moindre bruit.

Pour Yako qui connaissait la nature du terrain

couvert de pierres toujours prêtes à bouler, ce silence avait quelque chose d'hallucinant. Mais il avait la valeur d'une signature, car il n'existait qu'une catégorie d'hommes capables d'une approche aussi parfaite. Des hommes dressés comme des bêtes.

Sans hésiter, Yako braqua posément son arme et fit feu. La silhouette parut se dresser pour sauter et retomba, plaquée comme si on lui avait fait un croche-pied.

Le chien n'avait pas bronché. Courbé en deux, Yako se déplaça latéralement, par petits bonds, d'un buisson à l'autre. Il s'abrita derrière un tronc renversé, et attendit, à plat ventre.

Le chien ne bougeait pas de sa place, il ne l'avait pas suivi. Trop attentif, Yako n'y accorda pas grande attention sur le moment, mais plus tard il s'en souvint, sans pouvoir s'expliquer le comportement de l'animal ; c'était comme s'il avait compris sa tactique.

Il se passa environ cinq minutes. Si le type n'était pas seul, les autres attendaient que Yako se découvre.

Au bout de ce temps, le chien se redressa et s'étira, pattes tendues, échine ployée, puis il le rejoignit, s'arrêta devant lui en remuant la queue. Yako tourna la tête de son côté, il le regarda pendant quelques instants, puis il se leva lui aussi ; il venait de lui faire confiance, il savait qu'il n'avait plus rien à craindre.

Le chien se dressa, posa ses pattes de devant sur la poitrine de Yako, qui lui donna de petites bourrades de la paume de la main. Il le suivit quand il s'approcha du corps.

Yako alluma sa lampe, en masquant à demi la lumière avec ses doigts. Le type avait la moitié du visage emportée par la chevrotine à sanglier dont la carabine était chargée. Il portait un épais chandail noir à col roulé, maculé de sang, un pantalon de flanelle noire et il était pieds nus. Sous la manche gauche du chandail, un couteau de jet à lame large, maintenu à l'avant-bras par un lacet de cuir. Un autre lacet entrecroisé sur la jambe droite du pantalon maintenait sur la cuisse, à portée de la main, un Luger dont le cran de sûreté était relevé.

Les poches ne contenaient rien d'autre qu'un garrot fait d'une corde à piano, et une lampe. Ni argent ni papiers, rien, ainsi que l'enjoignent les instructions concernant une certaine catégorie d'opérations. Argent, papiers de couverture et objets personnels (rares) devaient être restés dans la voiture que le type avait vraisemblablement laissée sur la route, planquée à quelques kilomètres de là.

Yako se pencha pour ramasser un objet tombé sur le sol et qu'il n'avait pas encore remarqué. Cela ressemblait à un petit radio-transistor, avec une mince antenne déployée. Deux boutons encadraient une sorte de diaphragme, comme d'un écouteur téléphonique. Le diaphragme était étoilé, il avait dû se briser en heurtant une pierre quand l'homme l'avait lâché. Sous le diaphragme, un voyant dont le verre s'était brisé lui aussi ; un voyant avec des chiffres, comme sur un compas de navigation. Le chiffre 175 était immobilisé devant un repère, un petit fil métallique.

Yako fronça les sourcils et regarda le haut de l'appareil. Comme il s'y attendait, une boussole y était encastrée. Et il y avait une deuxième antenne, qui s'était détachée et qu'il retrouva entre deux pierres.

Appareil de détections radio, une application remarquable du système radiogoniométrique. Ceux qu'il connaissait, même portables, étaient beaucoup plus gros. Celui-ci devait être le dernier-né de la technique soviétique.

Une découverte riche de signification. Détection radio correspond à émission radio. Yako comprit qu'à son insu, il n'avait cessé d'émettre un signal qui avait permis de le retrouver.

Il connaissait ce truc, il l'avait prévu, entre autres combinaisons, avant de partir de Paris. Il avait agi en sorte qu'aucun émetteur ne puisse être mêlé à ses affaires personnelles, au matériel qu'il avait acheté. De ce côté-là, il était sûr.

Restait la voiture...

Cela paraissait incroyable, mais il n'y avait pas d'autre hypothèse : on l'avait observé tandis qu'il sortait du magasin de sport avec le lourd rucksac pour monter dans le taxi. On avait suivi le taxi et on l'en avait vu descendre sans le sac. On avait donc continué de suivre le taxi, jusqu'au garage. A partir de là, tout restait possible : se renseigner adroitement, puis donner le mot à un coéquipier qui s'arrange, un peu plus tard, pour approcher la voiture désignée... qui place, en trois secondes, un de ces émetteurs gros comme le pouce, quelque part sous le coffre. Et l'émetteur envoie son signal, un indicatif précis, sur une certaine fréquence et à intervalles espacés, trente secondes ou une minute...

Ceux qu'il connaissait avaient une portée de vingt-cinq, trente kilomètres. Celui-ci, sans doute plus, vu les progrès de la technique.

Yako comprenait de quelle façon sa position avait été repérée. Le type n'avait pas opéré seul, certainement. Une équipe de plusieurs hommes, espacés selon la portée de l'appareil. Mettons quatre ou cinq hommes, le nombre classique des équipes opérationnelles du Service. Cela représente un faisceau d'au moins cent cinquante kilomètres d'ampleur, pouvant ratisser en quelques jours à toute vitesse une très grande partie d'un territoire comme celui de la France. Avec des itinéraires bien étudiés, un *kriegspiel* préparatoire...

Le plus proche des autres devait donc se trouver à une trentaine de kilomètres d'ici.

Yako se pencha sur le corps. Autant qu'il pouvait voir, le type avait l'air très jeune. Il avait fini par le trouver, par trouver son gibier avec un peu de chance, puis la chance avait tourné contre lui.

Sans le chien... Le chien qui maintenant flairait le sang et gémissait, le poil dressé...

Yako se redressa. Comment ce type avait-il retrouvé sa trace depuis la voiture ? Elle n'était pas loin, la voiture, elle était au bas de cette colline où il était justement revenu cette nuit parce qu'il se demandait s'il n'allait pas précipiter son départ.

Quand l'homme était apparu au sommet, tout à l'heure, il ne faisait encore que chercher, probablement. Il battait le secteur dans un rayon dont le centre restait l'Opel, avec son émetteur qui devait continuer à lancer ses signaux. Ou il était là depuis plus longtemps et il attendait...

VI

Quoi qu'il en fût, il n'y avait pas de temps à perdre. Yako dépouilla le cadavre de ses armes, plia bagages et partit dans le sens opposé à la route, à travers la montagne. Le chien le suivait, le dépassait, flairait les buissons, pour sa propre joie à présent. Il avait perdu son allure soumise et compagnonnait d'égal à égal, comme si le pacte de leur alliance eût été conclu.

Il était quatre heures du matin. Yako avait décidé de marcher pendant vingt-quatre heures, vers l'ouest, en évitant pendant la journée les régions habitées. Il s'arrêtait toutes les trois heures pour prendre juste le repos nécessaire.

Abandonné au sommet de la colline, le cadavre ne serait pas découvert avant longtemps, s'il l'était jamais. Il en était de même de la voiture, camouflée dans le bosquet de pins. Yako n'avait pas jugé utile de chercher l'émetteur qui y avait été dissimulé ; au contraire, quand le restant de l'équipe constaterait la disparition d'un des leurs et reprendrait son itinéraire, ils retomberaient dans la zone d'émission et aboutiraient à leur tour à la voiture. Ce qui leur ferait perdre beaucoup de temps...

Il y avait le problème de la propre voiture du mort, lequel, comme Yako l'avait déjà supposé, avait dû la laisser sur la route dès que l'émission s'était intensifiée, pour continuer le chemin à pied. Plus ou moins bien dissimulée, cette voiture ne tarderait pas à être découverte par un paysan ou un gendarme, mais il était vraisemblable que la recherche de l'occupant ne serait pas décidée immédiatement. Et avant qu'ils le trouvent...

Yako aurait parié que les camarades de sa victime trouveraient le corps bien avant les gendarmes français. Comme une preuve de leur échec.

Ainsi, aucune des précautions qu'il avait prises ne s'avérait inutile. A part son agresseur, personne ne savait qu'il avait séjourné dans ce secteur pendant onze jours. Onze jours pendant lesquels il n'avait pu être signalé nulle part, ce qui brouillait considérablement les pistes.

D'autre part, l'attaque dont il avait été l'objet lui avait permis, outre la suppression de son agresseur, de découvrir de quel moyen ils se servaient et de l'utiliser pour les égarer.

Au lever du jour, le vent se leva, nettoyant le ciel. Yako marchait d'un bon pas, rucksac au dos, la carabine sur l'épaule. Il se sentait en forme. Ces jours et ces nuits de vie sauvage l'avaient endurci, réveillant ses muscles amollis par la vie de Londres.

Plus qu'en forme ; en quelque sorte, il se sentait autre, un homme différent, plus près des choses. Intérieurement, aussi, l'esprit lavé. Une impression étrange, celle de se retrouver dans la peau du jeune soldat qu'il avait été autrefois.

Il s'arrêta pour ôter son chandail et l'attacha sous la courroie du sac. Il reprit sa marche, torse nu. Il ne s'était pas lavé depuis douze jours ; son corps sentait la sueur mais il n'avait pas l'impression d'être sale. Pas rasé non plus ; sous ses doigts, quand il les portait à ses joues, cela faisait comme un gazon, une courte toison déjà douce.

Avant de se mettre en marche, il avait partagé avec le chien l'eau qui restait. Il faudrait sans doute attendre longtemps avant de trouver à boire.

Sous ses yeux, les collines à perte de vue, pelées, rêches d'une sécheresse éternelle. Parfois, les ruines d'une fermette abandonnée, ou d'une bergerie désertée ; des amas de pierres, constructions cylindriques ou coniques sans ouvertures, comme pierres entassées géométriquement, d'usage incompréhensible.

Des bois de pins, des ravins qu'ils traversaient, le chien en avant, museau au sol. Des chemins de pierres et puis, tout d'un coup, un champ avec sa ferme minuscule encadrée d'ifs, comme une oasis dans le désert, et qu'il fallait contourner au large à cause de ses chiens probables. On avait toujours le temps, on les voyait de loin, ces fermes éparses.

Le vent soufflait sans discontinuer, desséchait la gorge. Quand Yako s'asseyait après trois heures de marche, le chien se couchait à côté, langue pendante.

Il avait décidé de garder ce chien, au moins pour sortir d'ici. Comme la carabine sur l'épaule, quand il apparaîtrait en terre habitée, le chien serait un alibi ; il allait avec la carabine, le sac et l'allure de son maître.

Ils marchèrent tout le jour, obliquant pour contourner des villages, traversant des routes pour se replonger aussitôt dans la garrigue. Crevant de soif. Ici, les points d'eau sont entourés jalousement par les hommes et leurs maisons.

Yako s'aperçut que le chien boitait, il s'arrêta pour lui ôter l'épine qui s'était plantée dans sa patte, entre les coussinets. Le chien lui lécha la main, un petit coup de langue furtif, puis il se remit en route en trottinant.

Ils traversèrent les ruines d'un grand mas sur une sorte de plateau entre deux collines. Il y avait des oliviers, et un puits à une cinquantaine de mètres des bâtiments. Yako se pencha sur la margelle surmontée d'une niche en pierre. Un trou noir. Il jeta une pierre. Il y avait de l'eau, mais profond. Ni corde ni seau.

Le chien s'était dressé lui aussi sur la margelle, et ils restèrent un moment côte à côte à sentir cette odeur d'eau fraîche. « Rien à faire mon vieux », murmura Yako ; il lui donna une tape sur le cou et ils se remirent en route.

Au début de la nuit, ils atteignirent les terres plates, brusquement. C'était toujours la garrigue, mais sans collines. Puis de grands vergers et des villages plus importants, avec de vraies routes. Il faisait froid, soudain, le vent qui n'avait pas cessé soufflait du nord, apportant comme un coup d'automne brutal.

A quatre heures du matin, Yako se glissa dans un fourré et s'enroula dans son duvet, le chien contre lui. Il ne savait pas où ils étaient, il supposait qu'ils avaient couvert environ soixante kilomètres, pas plus, car ils se traînaient depuis le coucher du soleil.

Ce qui équivalait sans doute à quarante kilomètres en ligne droite, du point de départ.

Il regarda sa montre en s'éveillant ; il était une heure de l'après-midi. Le chien était là, à demi dressé ; lui aussi avait récupéré, mais sa langue ressemblait à du cuir racorni. L'échine creuse et les flancs serrés comme un loup affamé.

En se dénouant, Yako songea à sa réflexion de la veille, quand il croyait avoir retrouvé sa peau de jeune soldat. Il y avait quand même une différence : autrefois, au lendemain des longues marches, il n'avait pas cette impression de porter tout le poids du monde sur ses reins en s'éveillant.

Mais au bout d'une demi-heure, ça allait mieux. Il y avait une petite route à deux cents mètres de l'endroit où ils avaient dormi. Ils avaient pris cette route et traversé un hameau, avec une fontaine où ils avaient bu longuement. Une ou deux silhouettes sur les portes, un type qui déchargeait un camion. On les avait regardés, lui et le chien, mais sans effarement, sans curiosité excessive ; beaucoup moins, par exemple, qu'on eût dévisagé un type propre, en tenue de ville.

Yako avait faim, et il savait que le chien devait avoir faim, lui aussi. Mais il passa devant la boulangerie-épicerie sans y entrer, de peur de se faire remarquer par son accent. Il serait bien obligé de s'y décider, mais pas encore.

Il n'oubliait pas que ce qui s'était passé la veille, à seulement quarante ou cinquante kilomètres de là, le faisait tomber sous le coup des lois françaises.

Ils traversèrent un village important, surmonté d'un grand château. A l'entrée du village, une plaque annonçait : Grignan. En passant devant la terrasse minuscule d'un vieux bistrot avec une tonnelle, Yako ne put résister. Il s'assit et demanda un verre de vin. Puis un sandwich. On lui apporta un épais morceau de pain avec du jambon cru, qu'il partagea avec le chien. C'était une femme qui servait, plus vieille que son bistrot.

Enfin Yako se leva et demanda les toilettes. C'était au fond de la salle. En la traversant, Yako passa devant une large glace accrochée au mur. C'était cela qu'il voulait, se voir dans une glace. Comme la salle était déserte, et que la vieille remuait de la vaisselle dans sa cuisine, il put s'approcher de la glace et se regarder.

Il ne se reconnaissait pas. Le visage tanné, brûlé de soleil, et cette barbe qui égalisait les reliefs, comme une nouvelle couche d'argile sur une sculpture manquée, recouvrant, dissimulant l'aspect « grenouille » de la figure, amincissant la bouche, et transformant jusqu'aux yeux. Une barbe d'un brun un peu roussâtre, acajou, parsemée de quelques poils gris.

Les cheveux aussi avaient poussé, avec de petites boucles derrière les oreilles, ce qui avec la barbe lui faisait une gueule d'homme des bois, telle que se la composent nombre de globe-trotters nordiques, anglo-saxons ou scandinaves.

Il en circule, de par le monde, des milliers de ce type. On dit : un barbu. Et, pour les imberbes, quand ils ont dit « un barbu », c'est un peu comme pour les blancs quand ils disent « un noir », ou « un jaune ». A première vue, tous les barbus se ressemblent. A part la silhouette : un grand, ou un petit barbu, ou un gros... Ça reste vague.

Yako ne croyait pas beaucoup aux transformations pileuses, pas plus aux vraies barbes ou moustaches qu'aux postiches ; il avait toujours jugé ça puéril. Mais il se trouva tellement différent de ce qu'il était autrefois qu'il décida de ne rien changer à son aspect nouveau.

Il revint à la terrasse et se baissa pour caresser le chien qui s'était allongé, le museau entre les pattes.

Là, il prit une nouvelle décision. A vrai dire, elle couvait depuis qu'il s'était réveillé. Il allait garder le chien. Moscou avait signalé dans le monde entier un homme solitaire dont le visage évoquait la tête d'un crapaud. Il serait un barbu anglais avec son chien.

Yako ne s'avoua que beaucoup plus tard que, même si le chien lui avait posé des problèmes sérieux au lieu de coopérer en quelque sorte à un alibi, il n'aurait pu se résoudre à s'en séparer. Il était du genre à ne comprendre ces choses-là qu'après. Et quand ce moment de lucidité fut venu, il en vint même à se demander s'il n'avait pas inventé inconsciemment cet alibi pour garder le chien.

D'ailleurs, le chien, qu'il se mit incontinent à appeler Tom, sans grandes recherches d'imagination et comme un banal bon chien anglais, posait un problème. Celui du transport. A moins de continuer indéfiniment à errer sur la planète à marches forcées...

Yako se leva et paya. Puis il se mit en quête d'un garage. Autant là qu'ailleurs, et peut-être, après tout, était-il préférable d'acheter une voiture ici que dans une ville. Une ville où il faudrait se rendre à pied...

VII

Koubiatz occupait le centre du faisceau qui balayait à toute vitesse le sud-est de la France. En onze jours, les quatre voitures avaient quadrillé la presque totalité du territoire.

Cette tactique avait été basée sur une idée émanant du *Directoriat*, selon laquelle Yako devrait ou quitter la France immédiatement et poursuivre un périple à long terme, ou bien s'y terrer dans un coin pendant une période indéterminée. Plus exactement, cette réponse avait été donnée par le cerveau électronique auquel toutes les fiches établissant le caractère du fugitif avaient été confiées.

En quelques minutes, la machine fournissait ces indications, en donnant la priorité à la seconde hypothèse. Le déroulement de l'affaire semblait cadrer avec cette réponse puisque, jusqu'à présent, Yako n'avait pas été signalé aux frontières depuis son décrochage de Paris, et que, d'autre part, la surveillance établie à l'intérieur du pays n'avait plus donné de résultats.

Evidemment, aucune tactique n'est absolue dans ses aboutissements, un passage clandestin reste toujours possible mais, depuis le temps écoulé, Yako aurait été signalé dans un des pays limitrophes.

Koubiatz savait aussi qu'une dernière hypothèse était valable : un déplacement incessant du fugitif sur le sol français, qui aurait pu aboutir à un véritable chassé-croisé avec le faisceau de détection. Hypothèse malgré tout peu probable, car elle aurait nécessité, de la part de Yako, la connaissance des moyens mis en œuvre pour le retrouver.

Pour Koubiatz comme pour ses chefs, cette mission restait dans le cadre d'une manœuvre expérimentale, dont l'objet était surtout de déceler les défauts d'une tactique destinée à des applications plus vastes. Accessoirement, elle servait de terrain d'expérience et d'entraînement à une équipe nouvellement constituée.

Première faille, constatée à l'expérience : les liaisons défectueuses. Ses trois hommes avaient reçu l'ordre de n'utiliser les communications radio qu'en cas de nécessité absolue.

Le groupe se déplaçait de nuit, ratissant sur une largeur de trois cents kilomètres au maximum, deux cent cinquante au minimum, chaque voiture couvrant, de huit heures du soir à huit heures du matin, l'itinéraire qui lui avait été imparti au début de l'opération, et balayant son propre secteur à une vitesse donnée.

Seul, le signal de contact pouvait être donné par radio, transmis directement à la voiture de Koubiatz, qui donnerait aux autres l'ordre de se rabattre sur le point indiqué.

Pour le reste, chacun des trois hommes téléphonait chaque matin à neuf heures sa position à Koubiatz, à un endroit reporté quotidiennement. Lui-même les rappelait le soir à sept heures aux numéros qu'ils lui avaient indiqués, et la course recommençait.

Cela ressemblait un peu à une tournée de voyageurs de commerce, qui était d'ailleurs la couverture de l'équipe. Officiellement, on étudiait le marché pour une nouvelle marque de motoculteur allemand.

Pendant des nuits, les quatre voitures Volkswagen avaient ainsi sillonné les routes, sans qu'aucun des récepteurs placés sous les tableaux de bord fassent entendre la moindre modulation.

Au moment où Yako avait abandonné ses collines, sa carabine encore chaude sur l'épaule et suivi de son chien, Koubiatz arrivait à Digne.

A neuf heures moins cinq, « A » l'appelait à la brasserie où il prenait son petit déjeuner. Position donnée, rien à signaler. A neuf heures une, « C » appela à son tour, pour une communication identique.

A neuf heures quinze, « B » n'avait toujours pas appelé. Et Koubiatz pestait une fois de plus contre ce système absurde de liaison qui lui avait été imposé par un des géniaux tacticiens du C.O.-K.G.B. Il aurait voulu rester en communication incessante avec ses hommes, comme un chef d'escadrille garde le contact avec chacun des appareils qu'il commande.

Il aurait voulu pouvoir les appeler au cours de ces longues nuits de patrouille en pays inconnu, prévenir une défaillance toujours possible, ou un excès de zèle aux conséquences souvent catastrophiques.

Koubiatz alluma une cigarette et contempla sa tasse vide, entourée de miettes de croissants. Il avait bien l'aspect d'un voyageur de commerce fatigué par une nuit de route, les vêtements fripés, le col de sa chemise de nylon un peu douteux, et les traits brouillés de son visage d'homme brun faisaient penser à une perpétuelle lassitude, à des régimes et à des tubes de médicaments dans les poches.

Il aurait été difficile d'imaginer le poignard lacé sous la manche élimée et le pistolet extra-plat — modèle spécial, à peine plus épais qu'un étui à cigarettes — fixé sous l'aisselle.

Koubiatz n'avait pas besoin de fermer les yeux pour voir, aussi distinctement que s'il se fût placé en surimpression sur le verre qu'on venait de poser devant lui, le visage souriant de « B », Vladimir Lietchenko, le plus jeune de toute l'équipe. Koubiatz connaissait bien Vladimir ; il l'avait suivi pendant ses deux dernières années de stage.

Un accident ? Depuis des jours, ces hommes conduisaient sans qu'il y ait eu même une infraction au code de la route. Ils étaient formés pour ça, entre autres...

Alors, accident matériel, qui aurait immobilisé la voiture de Vladimir en rase campagne, le mettant dans l'impossibilité d'appeler à l'heure prescrite ? Le secteur de Vladimir était particulièrement désertique. Mais ils ont appris à se tirer de toutes les situations...

Koubiatz décida d'attendre jusqu'à dix heures, et il demanda un journal local qu'il déplia, cherchant les faits divers. Mais si la Volkswagen avait été accidentée cette nuit, il y avait peu de chances pour que cela figure dans un journal du matin.

Il garda le journal ouvert devant lui, par contenance, en réfléchissant. Hypothèse d'accident grave, toujours possible, cela signifie hôpital, intervention, anesthésiques ; un choc, sous l'influence duquel beaucoup d'hommes parlent, sans en avoir conscience...

Malgré le traitement psychologique spécial qui prévoit, surtout, les cas d'arrestation.

Parce qu'il ne pouvait y avoir d'autre hypothèse que celle d'un accident, pour un homme tel que Vladimir. A moins que...

A moins qu'il ne se soit passé quelque chose d'autre, évidemment. Que Vladimir ait établi le contact avec l'objectif. Dans ce cas, il avait ordre de prévenir immédiatement par radio, et il ne l'avait pas fait. Son émetteur en panne ? Impensable. Alors, si cela s'était produit, il avait voulu faire du zèle et il s'était lancé en enfant perdu, se réservant de trouver une raison, après, pour justifier son silence. « Après », quand il aurait réussi, tout seul.

La formation qu'on leur donne, cela équivaut à la remise d'un appareil de chasse dernier modèle à un élève pilote. Ils brûlent de l'essayer. Pour eux, l'appareil de chasse, c'est leur propre corps, avec ses prodigieuses connexions de réflexes.

Alors, peut-être Vladimir était-il toujours en chasse, braqué, collé à son objectif ou faisant durer le plaisir. Ou bien il s'était fait descendre.

Koubiatz se redressa, appela le garçon pour payer ;

— Si on me téléphone, dite qu'on me rappelle ici, ce soir à sept heures.

Dans sa voiture, il y avait la carte, ou plutôt les cartes détaillées de chaque région parcourue, avec les doubles des itinéraires de chaque homme. Koubiatz allait maintenant reprendre l'itinéraire de Vladimir, en commençant par la fin.

Il fonça à la poste et appela deux des plus importants postes de gendarmerie jalonnant l'itinéraire de Vladimir. Non, aucun accident n'avait été signalé, à part un camion.

Après quoi, Koubiatz appela successivement les deux autres équipiers et leur donna l'ordre de rallier sur-le-champ l'itinéraire pour se joindre à ses recherches.

A 5 heures de l'après-midi, « C » découvrait la Volkswagen à demi dissimulée dans un chemin de terre, sur la route de Montbrun, et il alertait son chef.

A 19 heures, le topo était le suivant : certitude presque absolue que Vladimir avait trouvé le contact dans la nuit et qu'il était parti en chasse : ses papiers dans le coffre à gants, le portefeuille contenant son argent et, surtout, les chaussures qu'il avait laissées sous le volant, annonçaient un contact proche, et la certitude qu'il s'absentait pour peu de temps. Il était parti en équipement de combat, avec le récepteur qui le guidait...

Mais qui le guidait où ?

Parce que, contrairement à ce que Koubiatz avait espéré, son propre récepteur, pas plus que ceux de ses deux hommes rassemblés ici, ne modulaient le moindre son. Le champ d'émission de Yako avait disparu.

— Alors voilà, conclut sèchement Koubiatz, Vladimir s'est fait descendre.

Il ne savait pas très bien pourquoi, il avait envie d'engueuler les deux autres. Parce qu'ils étaient là, parce qu'ils représentaient eux aussi toute la connerie des jeunes fauves. Il haussa les épaules.

— Un homme perdu, le contact rompu.

Il allait falloir tirer les conclusions de cet échec. Comme on corrige les fautes d'un devoir. Parce que les élèves étaient là pour ça. Il reporta cette passionnante étude à plus tard.

— On va le chercher ? demanda « C ».

C'est tout juste s'ils ne se tenaient pas au garde-à-vous, maintenant, au bord de la route. Avec trois voitures arrêtées, plus la Volkswagen, ce qui avait un petit air tout à fait normal et habituel, n'est-ce pas, dans ce coin perdu et à la nuit tombante...

— Imbécile... siffla Koubiatz.

Puis il se radoucit brusquement et leur dit de l'aider à vider la Volkswagen de tout ce qu'elle contenait, et vite. Puis il leur dit de foutre le camp, maintenant, de retourner à leurs hôtels respectifs et de dormir. C'est ce qu'ils avaient de mieux à faire. D'attendre ses instructions, demain.

— L'objectif... murmura « A », qui avait l'allure bien poncée d'un étudiant de Harvard.

C'était à croire qu'ils étaient devenus idiots tout d'un coup, que tout ce qu'on leur avait appris, inculqué, s'était dissous.

— L'objectif, répondit Koubiatz, il y a de fortes chances pour qu'il soit à cinq cents kilomètres d'ici. C'est ce que j'aurais fait à sa place.

Quand ils furent partis, Koubiatz monta dans la voiture de Vladimir et l'engagea le plus loin qu'il put dans le chemin de terre. Chercher le corps, dans ces collines, la nuit, ne servirait à rien.

Le trouver non plus, d'ailleurs...

VIII

Yako trouva à Grignan la voiture qu'il désirait, une vieille 4 CV, à la carrosserie délavée. Il marchanda pour la forme, et le garagiste la lui laissa pour quatre cents francs. Les sièges étaient défoncés et le moteur un peu poussif, mais Yako pensait qu'elle cadrait bien avec leur allure, à lui et Tom.

Ils arrivèrent à Avignon vers la fin de l'après-midi, avec toujours le mistral qui semblait souffler de plus en plus fort. Le premier soin de Yako fut d'acheter un collier et une laisse pour Tom, ensuite de chercher un hôtel où l'on accepte les chiens. Il finit par en trouver un dans la vieille ville, près des remparts.

Cette fois, il ne redoutait plus la chambre d'hôtel ; il avait maintenant la certitude d'avoir échappé à ses suiveurs, au moins provisoirement. Et d'autre part, il y avait Tom, qui lui garantissait la sécurité de son sommeil.

Cet hôtel ne ressemblait pas aux autres ; c'était une grande baraque assez délabrée que l'on avait arrangée pour louer des chambres, condamnant des portes et élevant des cloisons. Il n'y avait ni hall ni réception, simplement un couloir, en bas, qui donnait sur le petit appartement que les propriétaires, un couple de vieux, leur chien et leur chat, s'étaient réservé.

La chambre de Yako était immense et haute de plafond, meublée de deux larges lits et d'une armoire. Sol carrelé et volets intérieurs à chacune des deux fenêtres. Glaciale et triste.

Pas de salle de bains dans les chambres, mais une, commune, à l'étage. Yako obtint le droit au bain et y emmena Tom qui se comportait en ville aussi naturellement que dans ses collines ou en voiture. Rien ne paraissait surprendre ce chien, qui avait sauté dans la 4 CV comme s'il n'avait jamais fait que ça et qui, ici, avait gravi l'escalier devant Yako, avec des airs de le guider.

Yako se plongea le premier dans la baignoire à pieds. Quand il se jugea propre, ce fut au tour du chien, qui se laissa faire sans enthousiasme. Au rinçage, il allongea le museau pour boire l'eau qui coulait du robinet, comme si la longue marche de la veille lui avait donné une pépie irréversible.

De retour dans la chambre, Yako disposa sur un des lits tout ce qu'il possédait : sac, duvet, lampe, couteau, passeport, revolver, banknotes dans l'étui de cuir qu'il avait acheté à Paris, plus la petite boîte ronde contenant les balles pour le Smith and Wesson.

Sur l'autre lit, il disposa tous ses effets, ses chaussures et son linge. Il avait laissé la carabine dans la voiture.

Nu, il se mit alors à tout inventorier, pièce par pièce, en commençant par les objets. S'il avait la quasi-certitude que l'émetteur automatique avait été placé sur l'Opel, à Paris, avant qu'il ne vienne le prendre au garage, il n'en avait pas la preuve tangible. A présent, il regrettait de n'avoir pas pris le temps de s'en assurer.

Vidé de son contenu, le rucksac était un simple morceau de toile, il ne contenait rien. Le duvet, palpé centimètre par centimètre, ne pouvait rien cacher non plus. La lampe torche était bien celle qu'il avait achetée et, à part ses piles, ne recelait aucun appareil. Yako prit son couteau et éventra les piles, par scrupule presque maniaque.

Le Smith and Wesson lui avait été remis à Londres dans la camionnette qui l'attendait dans la cour de la prison. Idem pour les munitions. L'un et l'autre ne l'avaient pas quitté une seconde pendant tout son séjour à Paris et jusqu'à ce qu'il arrive dans la Drôme. Ensuite, ils étaient restés dans une poche de sa veste de ville qu'il avait roulée au fond du rucksac.

Il palpa ses effets aussi minutieusement qu'il l'avait fait pour le sac et le duvet. C'était surtout par acquit de conscience, pour être sûr de n'avoir omis aucune précaution, parce que cette idée de ne pas avoir fouillé l'Opel avant de partir lui revenait et le turlupinait.

Après tout, la preuve négative valait la preuve positive qu'il avait négligée : il n'existait aucune possibilité matérielle pour que l'émetteur automatique qui avait signalé sa position, ait été placé ailleurs que sur l'Opel.

Yako se surprit à siffloter une déjà vieille rengaine anglaise : *Yesterday*...

Assis devant la fenêtre, Tom suivait tous ses gestes avec attention. Le bain l'avait débarrassé d'une antique poussière qui l'avait recouvert comme d'une housse ; maintenant il apparaissait comme un beau grand chien coloré de roux, fauve à taches blanches, avec une magnifique queue de renard. La gueule ouverte, dans une hilarité béate, découvrait des crocs de loup. Le collier rebroussait les poils en jabot.

— C'est pas parce que tu as maintenant un faux col, qu'il faut te croire plus qu'un simple chien...

Ils rigolaient tous les deux en se regardant. Tom s'avança et posa une patte sur la cuisse de l'homme. Yako ne le quittait pas des yeux ; tout à coup il cessa de sourire et son expression changea :

— Non, c'est pas possible, fit-il à mi-voix...

Il se redressa, les yeux fixés dans le vague, caressant distraitement le chien.

Non, ça n'était pas possible. Une idée idiote : s'« ils » s'étaient justement servis de ce chien pour le retrouver... ?

S'il était à eux, ce chien, spécialement dressé lui aussi...

Un émetteur automatique minuscule, greffé quelque part sous la peau, invisible sous les longs poils... Et le chien lancé sur la piste, une fois le premier repérage à peu près localisé...

Non, ça ne collait pas, ça ne pouvait pas coller, cette idée. Le chien était apparu au cours de la huitième nuit, et il ne l'avait pas quitté pendant trois jours. L'attaque s'était produite à la fin de la onzième nuit ; le type n'aurait pas attendu tout ce temps. A moins qu'il n'ait perdu le chien, qu'il soit sorti de sa propre zone d'émission. Qu'il ne l'ait retrouvé qu'au cours de cette dernière nuit, justement.

Yako s'assit au bout du lit. Le chien s'allongea

de tout son long sur le carrelage, le museau dans les pattes, sa position de repos favorite. Sans bouger, il levait les yeux pour regarder Yako, toujours nu, qui avait appuyé son visage dans ses mains, les coudes sur les cuisses.

Parce que... Parce que, s'il n'y avait eu qu'un émetteur, dissimulé sur l'Opel, pourquoi le type était-il arrivé jusqu'au sommet de la colline, alors que l'Opel se trouvait au moins à deux cents mètres de là, en contrebas ? Au sommet, où se trouvait justement le chien, à ce moment. Et le type tenait son récepteur à la main, puisque l'appareil était tombé sur les pierres quand il s'était fait descendre...

S'il le tenait, c'est qu'il s'en servait.

Ça ne collait pas, c'était idiot : si le chien avait été dressé à ça, il n'aurait pas grondé quand le type s'était approché, il n'aurait pas prévenu le gibier.

Or, le chien lui avait sauvé la vie ; sans lui, Yako n'aurait jamais aperçu le tueur qui se dirigeait droit derrière lui, ou il l'aurait aperçu trop tard. D'autre part, ces chiens-là doivent être dressés à garder le contact avec le gibier, à le cerner, mais sans jamais s'en approcher.

Les émissions avaient guidé le type jusqu'à l'Opel. Ensuite, il avait battu le terrain en remontant jusqu'au sommet, parce que c'était logique. Il avait gardé son récepteur à la main parce qu'il n'avait aucune autre place où le mettre. Yako se rappelait le chandail et le pantalon collant.

Il se leva et s'agenouilla devant Tom. Et il commença à le palper, comme il avait fait pour le duvet. Tom croyait à des caresses, il se tourna sur le dos, se prêtant sans comprendre à cette inspection de douanier.

La queue, le ventre, les flancs, le cou, les pattes. Puis entre les poils, centimètre par centimètre. Aucune bosse et, ce qui était plus important, aucune trace de couture, pas de cicatrice, si minuscule soit-elle. Un chien intact, vierge.

Appareil placé par voie buccale ? Il l'aurait rejeté, impossible. Mais impossible, dans ce genre de trouvaille, n'est pas Russe.

Yako ouvrit la gueule du chien et inspecta le palais, la gorge, puis sous la langue. Les dents... Palpa le crâne, le museau. Maintenant, Tom croyait à un jeu, il se dérobait, mordillait, il se releva et se mit à gambader dans la pièce.

La seule chose qui tienne, c'était ceci : il n'aurait pas prévenu le tueur.

A moins qu'il n'ait décidé de trahir, lui aussi...

Ce qui ne l'aurait pas délivré de son équipement. Sèchement, Yako lui donna l'ordre de se coucher. Formulé en Russe. Le chien s'immobilisa sans obéir. C'était le ton qui l'avait immobilisé. Sans bouger, dans la même langue. Yako lui dit d'approcher. Le chien s'avança vers lui, mais ce pouvait être de sa propre initiative, ou à cause du ton, toujours.

Yako s'habilla, fixa la laisse au collier du chien, et ils sortirent. Il y avait encore beaucoup de touristes en Avignon, qui, à cette heure, flânaient par groupes devant les menus affichés aux portes des restaurants. Le vent avait cessé, tout d'un coup, aussi brusquement qu'il s'était mis à souffler.

Yako croisa des garçons et des filles en parka, caméras en bandoulière. L'angoisse d'un repérage, d'une identification toujours possible, à laquelle il accordait tant d'importance au début de son voyage, s'estompait maintenant.

Il restait prudent, mais il avait conscience de posséder plus d'atouts dans son jeu. En passant devant la glace d'une vitrine, et surprenant son reflet presque par hasard, d'un coup d'œil machinal, il s'aperçut que sa transformation physique dépassait l'apparence du visage et l'habillement. Sa silhouette surprise en mouvement lui révélait une allure, gestes et maintien, qui lui parurent méconnaissables, comme s'il s'agissait d'un étranger.

Il entra dans un petit restaurant sans prétention, demanda de la viande grillée et une soupe pour Tom. Il n'avait jamais aimé les restaurants et il aurait pu s'en passer, par exemple en achetant dans un bar des sandwiches qu'il aurait partagés avec le chien dans sa chambre. Mais, ce soir-là, ce fut un peu une épreuve qu'il s'imposa.

Il ne devait plus se cacher. Au contraire, il devait à présent se comporter naturellement, sans craindre de se faire remarquer partout où il passerait.

Yako savait qu'un dossier spécial, portant mention détaillée de ses goût, habitudes, amitiés, etc. figurait aux archives du K.G.B., ainsi que pour tous les agents des services soviétiques. Une sorte de schéma précis du personnage, élaboré pendant ses années de formation, modifié au cours de sa carrière.

Moscou savait aussi que ses goûts étaient d'une sobriété confinant à l'ascétisme, mais qu'il était amateur de cinéma et surtout de concerts. Qu'il ne buvait pas mais fumait beaucoup de cigarettes. Qu'il s'habillait sans recherche, « comme tout le monde », et que son allure, d'une certaine timidité falote, n'était pas étudiée pour des raisons de sécurité professionnelle, mais correspondait précisément à son caractère. A cela, le dossier devait ajouter que Yako réservait ses fréquentations féminines aux seules nécessités de service, sans plus. On le savait misogyne, ce qui au K.G.B. était une disposition d'ailleurs assez favorablement notée.

Au courant de tout, le Service ne devait pas ignorer les brèves incursions de Yako dans certains bars à filles de Soho, quand des impératifs d'ordre strictement physiologique se faisaient sentir. Brèves et rares incursions, auxquelles lui-même n'accordait pas plus d'importance qu'au désir subit de boire un verre de bière fraîche, par exemple.

La serveuse venait d'apporter la soupe de Tom, un grand plat appétissant où se mêlaient des débris de viandes et des restes de poulet. En finissant son steak, Yako se dit qu'à la réflexion, il se serait bien contenté de partager la pâtée du chien. Il aurait même préféré.

Après les extrêmes précautions qu'il avait prises depuis deux semaines, la sagesse lui eût commandé de se débarrasser de ce chien. Le duvet avait donné la preuve négative, les effets, le sac, etc. Pas le chien. Pour avoir cette preuve, songea Yako, il aurait fallu le démonter, ce chien, le démembrer, l'autopsier.

Jamais, si Yako avait eu à rendre compte à son Service, jamais il n'aurait gardé ce chien. Le conserver, dans la situation présente, eût été considéré comme une faute grave, suivie de sanctions.

A ce moment seulement, alors que la serveuse débarrassait son assiette et que Tom finissait de laper bruyamment sa soupe, Yako prit conscience qu'il ne devait plus de comptes à personne.

Après quinze jours de décisions prises librement et d'initiatives personnelles... Il avait agi comme s'il se savait seul à présent et détaché de l'Appareil, mais jamais encore cela ne s'était formulé aussi nettement. Il avait été comme un prisonnier fraîchement libéré, après des années et des années de détention.

Absolument libre. Echappant à tout contrôle. Ne redoutant plus ni critiques, ni blâmes, ni sanctions. Hors d'atteinte des initiatives de supérieurs inconnus, administrations, archives, fichiers et cerveaux électroniques.

Mais pas hors d'atteinte de la mort.

Libre de faire une connerie délibérément, si bon lui semblait et ne risquant en contrepartie que sa peau. Echappant ainsi, pour la première fois de sa vie, aux confrontations logiques et à la logique tout court. Et cela devait être plus important que tout le reste, car Yako en goûta un enivrement presque mystique, en contemplant le morceau de camembert qu'il ne se rappelait pas avoir demandé et qu'on venait de lui poser sous le nez.

Tom se pourléchait. C'était curieux, il n'avait pas quémandé à table, pas demandé un morceau du steak que son maître avait mangé. Comme un chien dressé.

En étalant machinalement du fromage sur son pain, Yako considérait le chien avec une curiosité songeuse.

IX

Yako eut un sursaut d'alarme instinctif, car quelqu'un venait de s'asseoir devant lui. Il leva la tête et s'aperçut que toutes les tables étaient maintenant prises ; sauf la sienne où il occupait la place de quatre personnes.

L'homme, à qui la serveuse avait désigné cette place, s'asseyait avec un vague sourire interrogateur adressé à Yako :

— Permettez ?

Yako hocha la tête et se mit à mastiquer son fromage en examinant discrètement l'inconnu, un type d'une quarantaine d'années, aux rares cheveux hirsutes, au visage bouffi et jaunâtre, les yeux larmoyants, d'aspect général négligé et même assez sale. Manifestement ivre, ou plutôt alcoolique, le genre mouvement perpétuel de la demi-cuite.

Agité, marmonnant tout seul, apercevant soudain Tom impassible, et se penchant pour lui parler, le caresser, et Tom remuait la queue, répondait aux avances. Le type se redressait, souriait une fois de plus à Yako en hochant la tête, approuvant comme si Yako lui avait parlé.

Il repoussait le menu d'un geste las, demandait

en mauvais français qu'on lui serve ce qu'il y avait, avec de la bière. Quand on lui apporta son potage, il saisit la salière et la frappa avec fureur sur la table, répétant ce geste plusieurs fois en salant abondamment le potage, maugréant des phrases inintelligibles, hilare soudain parce que maintenant toute la salle le regardait.

Une femme fut prise d'un accès de fou rire, et ce fut comme un signal, tous les dîneurs agités de tressautements, pouffant et chuchotant, l'atmosphère du restaurant brusquement changée, comme dans un théâtre au lever du rideau.

Le type n'était pas cabot ; parfaitement naturel, il jouait pour lui seul, penché sur son potage que sa main tremblante n'arrivait pas toujours à guider jusqu'à sa bouche. Il appela la serveuse et lui fit remarquer timidement que le potage était trop salé. La salle explosa comme à une réplique particulièrement réussie. Le type ne riait plus, il avait l'air malheureux, incompris, et du regard prenait Yako à témoin.

Tom le considérait avec un intérêt bienveillant. Yako demanda un café, sans en avoir envie. Il avait rencontré bien des ivrognes dans sa vie, et d'habitude ils le dégoûtaient. Mais, sans qu'il sût pourquoi, celui-ci le fascinait. Ou plutôt, il le détendait, comme si après de nombreuses années passées dans la société la moins puérile qui se puisse concevoir, il se trouvait soudain devant un enfant.

Le type se penchait encore, adressait des clins d'œil à Tom, lui grattait la tête, oscillait sur sa chaise et se rattrapait à la table. Il se redressa :

— What is his name ?

Il s'adressait à Yako en anglais, avec l'accent d'un Américain bien élevé.

— Tom, répondit Yako.

Le type répéta « Tom », songeur, en considérant tout à coup avec attention ses propres mains qui enserraient son verre à demi vide. Il les fixait avec une surprise intense, comme s'il était stupéfait de les trouver là, tels des objets incongrus, indépendants de lui.

Il se pencha pour regarder les doigts qui s'agitaient, et on avait l'impression qu'ils étaient réellement doués d'une vie propre. La femme au fou rire fut prise d'un nouvel accès ; des gens se penchaient pour mieux voir.

Yako souriait ; lui aussi regardait les mains, aux ongles bordés de noir mais fines et de la même teinte jaunâtre que le visage. Plus que fines, squelettiques. L'annulaire orné d'une chevalière trop grande enserrant une cornaline gravée.

— Tous les chiens ne s'appellent pas Tom, murmura le type, en anglais.

Puis, il ajouta, à voix haute, en français :

— Mais toutes les Françaises sont des putains...

Il y eut le petit silence froid qui suit l'énoncé des incongruités, rompu après deux ou trois secondes par un gros homme luisant dont le rire résonna en écho approbateur.

Le type hochait la tête, pas agressif, mais satisfait de sa remarque, comme si elle avait été aussi évidente qu'une constatation météorologique. On lui apporta un plat de spaghetti, sans doute malice de la serveuse qui voulait voir comment il allait s'en dépêtrer. Mais il se mit à jouer avec les pâtes, du bout de sa fourchette, content, décorant d'arabesques le bord de son assiette.

Puis avec un sans-gêne désarmant, il se mit à

dévisager Yako, les yeux un peu plissés, exactement comme un enfant. Il parut satisfait de son examen et lui demanda s'il était artiste. Yako secoua la tête ; il avait supporté l'examen sans broncher :

— Représentant de commerce.

Le type fut pris d'un accès de rire silencieux et s'étrangla :

— Fan-tas-tic...

Ça avait l'air d'être pour lui une blague merveilleuse.

— Tous les artistes que je connais sont des représentants de commerce, ajouta-t-il. Mais ils ne le savent pas. Et vous...

Il soufflait sur ses spaghetti, reprenant :

— Personne ne sait ce qu'il est. Pendant des années, j'ai cru que j'étais sculpteur, alors que j'étais...

Il s'immobilisa, le visage figé, comme s'il avait vu un serpent.

— Qu'étiez-vous ? demanda Yako à mi-voix.

Le type leva une épaule et sourit :

— C'est sans importance. Une autre fois...

Il appela pour demander de la bière et proposa un cognac à Yako qui refusa, préférant de la bière lui aussi. La salle se désintéressait d'eux à présent. Tom sommeillait au pied de la table.

Tout en restant sur ses gardes et sans cesser d'observer les moindres gestes de son vis-à-vis, Yako pensait qu'il avait affaire à un de ces ivrognes classiques, l'éternel alcoolique américain qui ne peut pas supporter la solitude et cherche des copains partout. Il n'aurait su dire pourquoi il restait, pourquoi il avait accepté cette bière dont il n'avait pas plus envie que de café.

Il n'écartait pas l'hypothèse d'une erreur de jugement, et que l'inconnu fût là pour lui, quoique cela lui parût peu vraisemblable, comme une tactique trop grossière.

— D'ailleurs, les artistes... faisait l'autre avec un geste balayant. Qu'est-ce que ça veut dire ? Et l'art, hein ? A part comme gargarisme...

Il rejetait la tête en arrière, mimait le gargarisme :

— A-a-a-art...

Rigolait, s'essuyait les yeux, puis agitait la main et se penchait vers Yako imperturbable pour ajouter, confidentiel :

— J'ai tout cassé dans mon atelier de New York avant de partir. Tout, vous comprenez...

Il regardait autour de lui, soupçonneux, avant de reprendre, plus bas :

— Les alchimistes du moyen âge... Ce qu'ils fabriquaient n'avait pas une très grande importance : la pierre philosophale, pfft... Ce qui comptait, c'était ce qui leur arrivait, à eux. Ils se transformaient pendant leur travail, ça agissait sur eux, comme une sorte de révélateur, vous comprenez ? A la fin, ils étaient devenus des types tout à fait remarquables, extraordinaires... Mais les artistes, ça vous est déjà venu à l'idée de voir ce qu'ils sont devenus, après des années de travail ? Non, évidemment, ce qu'on regarde, c'est leurs œuvres et on fait oh, ou ah... Et ça ne veut rien dire. Si on les regardait bien, eux, on comprendrait que tout ce qu'ils ont fait, c'est de la merde. Regardez-moi : voilà l'art. Je pourrais vous en montrer d'autres, des tas. C'est ça le test. Alors j'ai tout cassé et je suis parti. Du bon travail, pour une fois, exercice salubre.

Il rotait, levait un doigt, disait :

— La mer... la mer, mon vieux...

Yako réprimait un sourire en songeant à cette tirade sur l'art émanant d'un tueur du K.G.B. Le type paraissait chercher où il avait voulu en venir avec la mer, puis y renonçait.

— La solitude, celle-là, oui, mais il faut y aller, il faut traverser les foules. Alors j'ai fait passer une annonce dans le *Herald* de Paris. Pensez-vous, personne n'a répondu.

— Quelle annonce ? demanda doucement Yako.

— Pour avoir quelqu'un avec moi jusqu'en Espagne. Une intelligente présence humaine. Artiste s'abstenir. Vous fumez ?

Il avait posé son paquet de Camel sur la table. Yako secoua la tête.

— L'auto, faisait l'autre, c'est un sous-marin. Epouvantable. Claustrophobie des angoisses soudaines, alors je m'arrête et j'entre dans un bistrot. Je n'en sors pas, six jours pour venir de Paris à Avignon. Et je vais à Salamanque...

— Je vais, moi aussi, en Espagne, dit Yako d'un ton neutre.

Le type leva des yeux hagards :

— A pied ?

— En voiture, mais cette voiture me pose un problème. Elle ne marche plus très bien, et je ne pourrais pas la revendre en Espagne. Et je ne peux pas prendre le train, avec le chien.

— Fantastic... Faisons la route ensemble ?

— O.K., fit Yako. Quand repartez-vous ?

— Demain matin.

— Pouvez-vous m'attendre jusqu'à midi ? Le temps de liquider cette bagnole.

— Mais, mon vieux, je vous attendrai deux jours s'il le faut. A quel endroit de l'Espagne allez-vous ?

— Je vais jusqu'au Portugal, répondit Yako. Lisboa. Salamanque est sur la route.

— Formidable. Dites-donc, avez-vous pensé aux papiers du chien ?

C'était vrai : les certificats de vaccinations pour Tom. Yako n'y avait pas pensé. A vrai dire, il n'en avait pas eu le temps.

*

Après avoir quitté l'ivrogne, rendez-vous pris pour le lendemain midi, Yako regagna sa voiture, qu'il avait laissée au parking, devant le palais des Papes. Il n'accorda pas grande attention au palais, illuminé de projecteurs, un peu soucieux à l'idée que la 4 CV aurait pu être piégée pendant qu'on le retenait au restaurant jusqu'à ce que le coin soit désert...

Il était à présent dix heures, et le coin l'était, désert. D'imposantes rangées de voitures, dont les propriétaires devaient être à présent dans les bars ou les hôtels. Le vent ne soufflait plus, mais la température n'invitait pas à la flânerie.

Même pas besoin de piéger la voiture. On aurait pu l'attendre par là pour le descendre tout simplement.

La 4 CV était rangée entre une Mercedes et une vieille traction.

Au bout de la laisse, Tom flairait l'air et ne paraissait pas inquiet. Et Yako se trouva, toujours vivant, devant la portière de la voiture. Quand on soupçonne une voiture d'être « bien » piégée, il n'y a que deux choses à faire : ne pas y toucher, ou y monter comme si de rien n'était, en s'en remettant à sa bonne chance. Inutile de chercher à vérifier, car le piégeur expérimenté a justement prévu cette vérification, et il a disposé son appareil en conséquence.

Yako ouvrit la portière et s'installa au volant, Tom à côté de lui. Il mit le contact et la voiture démarra paisiblement. Yako sifflota les premières mesures de *Petite musique de Nuit* et prit la direction du Rhône, indiquée par une pancarte.

La scène du restaurant lui semblait nette, authentique. Sinon il se serait déjà passé quelque chose. Les exécuteurs des hautes œuvres n'ont pas de temps à perdre, même s'il leur prend fantaisie de fignoler.

Yako jeta dans le fleuve la carabine et le Luger qu'il avait pris sur son agresseur. Il garda le poignard, qu'il avait placé sur la face intérieure de sa cheville gauche. Le Smith and Wesson était dans la poche droite de son pantalon.

Il traversa la ville pour garer la voiture le long des remparts, et il laissa Tom à l'intérieur de la 4 CV. Le chien commença à gémir et à gratter aux vitres. Yako s'efforça de le calmer, par gestes, lui faisant signe de rester couché là. Tom ne comprenait pas, il écrasait son museau contre la glace et le regardait d'un air suppliant. Alors Yako prit dans sa poche l'étui de cuir dans lequel il gardait son argent, en retira les billets et entrouvrit la portière pour le lancer au chien.

Ça avait l'air idiot, mais ça prenait. Tom bloquait l'étui entre ses pattes, le flairait et commençait à le mordiller. C'était l'odeur du corps de son maître, une sorte de gage de retour. Il ne bougea plus quand Yako s'éloigna.

Pour contrebalancer un peu ce qu'il considérait, à tout prendre, comme une petite série d'imprudences, Yako décida de ne pas passer cette nuit à son hôtel et il en choisit un autre, très touristique, sur l'avenue principale.

Il put s'offrir le luxe d'une douche froide avant de se coucher. Après les années de vie matérielle médiocre qu'il avait passées à Londres, cette chambre confortable lui paraissait marquée de tous les raffinements de la société bourgeoise. Elle le dépaysait et il eut soudain presque honte de s'y trouver.

Assez étrangement, sa présence ici lui donnait l'impression de trahir son pays, concrètement, et ceci pour la première fois.

Il se coucha et pensa à l'ivrogne. Soudain il se demanda si ce type — qui décidément ne pouvait en aucune manière appartenir au K.G.B. — ne serait pas au contraire chargé de le contacter, pour le compte d'un service occidental, et pourquoi pas la C.I.A. justement, toujours à l'affût de renseignements à glaner ?

Tout ce que les Anglais ne lui avaient pas demandé, par exemple. Informations toujours utiles à classer, recoupements à établir...

Yako soupira et se roula en boule dans le lit trop grand.

Il recommençait à penser trop, comme si le rythme du cerveau s'emballait quand il entrait dans une ville. Il tenait absolument à affubler d'un uniforme cet inoffensif bavard alcoolique. Un point, d'ailleurs, en faveur de son innocence : les stigmates d'un état de santé déplorable, alarmant, de ceux

qu'on ne peut imiter. Aucun service de renseignements, de nos jours, ne confierait une mission semblable à un homme dans un tel état.

L'Espagne... Il y avait déjà pensé : régime réso-
lument adverse de l'U.R.S.S. Pas de parti commu-
niste officiel, donc moins d'observateurs qu'ailleurs.
Plus de sécurité pour un homme dans sa situation.

A condition de ne pas se faire repérer par les
services espagnols, qui, eux, exigeraient alors des
informations sans lui demander son avis. L'empri-
sonneraient et seraient bien capables de l'exécuter
en cas de refus.

Yako se gratta la tête en songeant que ce serait
une belle et étrange mort, un sujet de film de
propagande du genre subtil. Moscou transmettrait
son dossier aux psychiatres et psychologues du
Service, à fin d'études complémentaires.

Yako ne pouvait pas dormir. En quinze jours, il
s'était déjà déshabitué du confort d'un lit, et celui-ci
était particulièrement mou.

La perspective de ce voyage avec l'ivrogne lui
plaisait. Elle offrait l'incontestable avantage de passer inaperçu dans le sillage d'un type particulièrement voyant.

Pour tous les yeux, ils allaient maintenant consti-
tuer un groupe : deux amis et un chien. Et si
l'anatomie du chien ne recelait aucun maléfice...

Le chien, en ce moment dans la voiture, à deux
cents mètres de là.

X

Le lendemain matin, Yako retrouva la voiture et le chien intacts. Il récupéra ses affaires à la pension, où le couple de petits vieux l'accueillit avec des transports inattendus. Ils avaient eu peur qu'il lui soit arrivé quelque chose et ils en faisaient toute une histoire. Apparemment, ce n'était pas un hôtel dont les clients découchent. Encore heureux qu'ils n'aient pas averti la police.

Yako leur demanda l'adresse d'un vétérinaire pour Tom. Une demi-heure plus tard, le chien était vacciné, et Yako glissait dans son passeport les papiers requis. Il demanda au vétérinaire l'adresse d'un garage spécialisé dans les voitures d'occasion.

En remontant dans la 4 CV, il se demanda tout à coup s'il ne serait pas bon, avant de vendre la voiture, de s'assurer que l'ivrogne était toujours d'accord. Il était 10 h 30. A jeun (probablement) et avec une gueule de bois certaine, le type n'était peut-être plus du tout dans les mêmes dispositions Peut-être même avait-il complètement oublié.

Sa propre étourderie le stupéfiait. Il ne venait de penser à cela qu'au tout dernier moment, et il se serait débarrassé de sa voiture sans avoir pris cette précaution élémentaire. Sans compter qu'il avait décidé de lier son sort, par le plus fortuit des hasards, à un inconnu, alcoolique au dernier degré et malade.

Depuis qu'il était dans cette ville, il accumulait les idioties, comme une recrue à sa première permission. Cela avait l'air de correspondre avec le moment où il avait pris conscience de sa liberté.

En se dirigeant vers le bureau de poste, Yako se compara lucidement à un pantin dont on a coupé les ficelles et qui a continué à fonctionner par automatisme jusqu'au moment où il s'est aperçu que plus rien ne le tenait.

Phénomène courant, sans doute. Est-ce que le Service ne le sait pas, cela ? Est-ce qu'il ne compte pas sur ce phénomène « psychologique », attendant que le gibier, accumulant les erreurs, se fasse prendre de lui-même...

L'ivrogne lui avait laissé son nom, David Barney, et celui de l'hôtel où il était descendu. Yako devait le retrouver à midi dans le hall de cet hôtel.

Il téléphona, un peu par curiosité. David n'avait pas changé d'avis, il paraissait d'excellente humeur et avoua qu'il avait craint, de son côté, que son nouveau compagnon ait modifié sa décision.

— Je voulais vous appeler, moi aussi. Mais je ne savais même pas où vous étiez descendu, et hier j'ai oublié de vous demander votre nom.

— Forstal, répondit Yako. Henry Forstal.

Pendant son voyage de Londres à Paris, puis au début de son séjour dans la Drôme, Yako avait commencé à brosser les traits de son nouveau personnage. C'était la première fois qu'il avait à tisser lui-même la couverture qui devait le cacher. Avant, le Service les lui livrait toutes prêtes, il n'y avait qu'à apprendre par cœur, comme un comédien apprend son rôle.

Cette nuit, pendant des heures d'insomnie, il avait tout modifié, s'apercevant que ce qu'il avait composé jusqu'à présent était comme le mauvais brouillon d'un roman qui ne « sort » pas.

C'était venu tout seul, soudain : la famille d'Henry Forstal, ses études, ses vacances, travail, amitiés, goûts, menus incidents et anecdotes propres aussi bien à alimenter une conversation qu'à répondre au questionnaire le plus sournois.

Toute l'existence imaginaire du personnage avait pris forme dans son esprit, aussi facilement que si on la lui avait dictée. Et cela venait peut-être du contact avec David, de cette rencontre imprévue qui avait provoqué un déclic d'où tout le roman avait jailli.

Sans s'en rendre compte, Yako avait ainsi composé son histoire à travers David Barney : propre à être racontée à David Barney. Il lui avait fallu simplement se fixer sur l'image d'un auditeur de chair et d'os pour étoffer le texte, le rendre vrai.

En sortant de la poste, il fut frappé par le souvenir d'un petit incident auquel il n'avait pas prêté attention, et que la voix de Barney venait de lui remettre en mémoire : « Les papiers du chien, avait dit Barney, avez-vous pensé aux papiers du chien ? »

Barney savait que son interlocuteur était anglais. Or, les mêmes certificats de vaccination sont exigés pour passer un chien d'Angleterre en France que de France en Espagne. Le même document sert pour tous les transits, comme un passeport.

Comment Barney savait-il, ou supposait-il, que

Yako n'avait pas amené Tom d'Angleterre mais qu'il l'avait trouvé en France, et qu'ainsi ces formalités n'avaient pas été remplies ?

Songeur, Yako conduisit la voiture au garage indiqué par le vétérinaire. Pas plus que pour l'Opel il n'avait évidemment changé la carte grise de la 4 CV Pour cette raison, ou à cause de l'aspect peu engageant de la voiture, le garage n'en voulut pas, mais lui indiqua un casseur où Yako la liquida pour cent francs.

*

Barney avait une Volkswagen, qu'il avait, disait-il, achetée à Paris. Il paraissait déjà ivre quand Yako l'avait retrouvé au bar de l'hôtel. Il devait voyager avec peu de bagages, car le rucksac fut casé sans difficulté dans le coffre. Tom, qui décidément paraissait ne jamais s'étonner de rien, sauta sur la banquette arrière, pendant que Yako s'installait à côté de son compagnon.

— Vous avez campé en France ? demanda Barney.

— Oui, en descendant de Paris à petites étapes.

— On aurait pu se rencontrer, fit Barney en riant.

Ils prenaient la route de Nîmes. Malgré l'alcool qu'il paraissait avoir déjà bu, Barney conduisait bien, comme un homme habitué à tenir le volant depuis son enfance.

— Comment savez-vous que j'ai campé ? demanda Yako sur le même ton détendu. J'aurais pu coucher à l'hôtel...

— Oh, simplement, vous avez l'allure d'un campeur, répondit Barney en souriant.

A part son visage rasé de frais, il paraissait aussi négligé que la veille, comme s'il avait dormi tout habillé.

— Et mon chien ? reprit Yako. Comment avez-vous deviné que j'avais trouvé mon chien en France ? Là, vous m'avez épaté...

Barney tourna un regard interrogateur.

— Hier soir, vous m'avez demandé si j'avais pensé aux papiers de Tom, expliqua Yako, comme si vous saviez qu'il n'était pas venu avec moi d'Angleterre.

Barney fronça les sourcils, puis il eut un petit rire bref :

— Je vous ai dit ça ? J'avais un peu bu, je crois... Ah oui, je me rappelle. Quand je me suis assis à votre table, je regardais surtout le chien ; je l'ai caressé et je lui ai parlé en français, comme à quelqu'un du pays. Il avait l'air de comprendre, il poussait de petits gémissements...

— Je n'ai pas remarqué, répondit Yako.

— Un peu plus tard, quand j'ai vu que vous étiez Anglais, j'ai voulu recommencer. Les chiens me posent toujours des tas de problèmes. Je lui ai parlé une deuxième fois, mais en anglais. Il paraissait toujours content, mais il ne gémissait plus. Lui avez-vous déjà parlé français ?

Barney freina et gara la voiture sur le bord de la route. Sans se retourner, il se mit à parler doucement au chien, en français. Tom se dressa aussitôt sur le dossier et gémit à petites plaintes. Barney embraya, hilare.

— Nous aurions dû parier quelque chose, dit-il. Regardez dans la boîte à gants, il doit y avoir un flask de whisky. Et racontez-moi comment vous avez trouvé Tom.

— Dans l'Ardèche, répondit Yako. Je descendais vers Avignon en campant au hasard. Il est arrivé une nuit, maigre et sans collier, et depuis nous ne nous sommes plus quittés.

En parlant, il avait ouvert la boîte à gants et s'était penché pour chercher le flask.

— Vous avez de bien belles jumelles, remarqua-t-il...

Il posa le flask sur ses genoux et examina les jumelles.

— N'est-ce pas ? fit Barney. Souvenir de l'armée.

C'étaient des jumelles spéciales de nuit, et les lentilles ne portaient pas la moindre trace de poussière. Songeur, Yako les replaça dans la boîte à gants.

— Voulez-vous m'allumer une cigarette ? demandait Barney. Il y en a un paquet par là...

En un éclair, Yako pensa au truc de la cigarette empoisonnée. Tout ce qu'il avait élaboré depuis la veille, et qui innocentait son compagnon, se dissolvait à présent. Un tueur précautionneux n'eût pas tenté de l'abattre à Avignon, en pleine ville. Il eût été beaucoup plus adroit, beaucoup plus discret, de l'attirer dans cette voiture, exactement comme Barney l'avait fait, pour le supprimer de cette manière. Sans bruit, sans le moindre témoin possible. Et toute latitude de se débarrasser du corps, ensuite, dans le premier chemin de traverse.

Yako allongea le bras et trouva un paquet de Camel d'importation, entamé. Il se rappela que la veille, au restaurant, Barney lui avait offert une cigarette semblable, peut-être pour voir simplement s'il accepterait ou non. Yako avait refusé. Maintenant, Barney lui demandait de l'allumer pour lui...

Il tira une des cigarettes et jeta un coup d'œil à son compagnon. Le buste penché de côté, Barney était attentif à doubler un camion qui ne voulait pas céder la place.

— Je n'ai pas d'allumette, dit Yako.

— L'allume-cigare, devant vous. Appuyez et attendez quatre ou cinq secondes.

Yako appuya sur l'allume-cigare. Barney accélérait pour dépasser le camion enfin rangé. Quand il eut repris le côté droit de la route, Yako tendit lentement la main et lui présenta la cigarette non allumée.

— Oh, merci, fit distraitement Barney en la happant du coin des lèvres.

Il tirait machinalement, s'aperçut qu'elle était intacte et eut une brève expression d'étonnement. Yako lui tendait l'allume-cigare rougeoyant. Puis il déboucha le flask et le lui passa.

— Vous ne buvez pas ? fit Barney d'un ton de reproche.

— Encore un peu tôt pour moi.

Barney avala une rasade et soupira d'aise :

— Si vous avez faim, nous achèterons des sandwiches au prochain routier.

La Volkswagen dépassait deux stoppeurs, plantés bras tendus sur le bord de la route.

— Puisque vous n'aimez pas voyager seul, remarqua Yako d'un ton amusé, pourquoi ne prenez-vous pas de stoppeurs ?

— J'aime connaître un peu avant. Tout se passe trop vite, on n'a même pas le temps de bien voir la gueule du stoppeur. Et quand on l'a embarqué, on ne peut plus le mettre dehors s'il se montre idiot ou si ses pieds sentent mauvais...

— Comme un mariage d'amour, murmura Yako en souriant.

— A peu près ça. A la différence près que dans le mariage d'amour, chacun des deux partenaires croit avoir embarqué l'autre. Seriez-vous misogyne ?

Yako se détendit et rit de bon cœur :

— Certainement pas. Mais célibataire. Pour ces raisons-là, exactement. Et vous, marié ?

Barney eut un petit sourire du coin des lèvres :

— Pas en ce moment, mais je l'ai été quatre fois. C'est une manière comme une autre de vivre dangereusement.

Il paraissait s'amuser beaucoup.

*

Après avoir transmis son rapport à Moscou, Koubiatz avait eu la surprise de ne recevoir aucun blâme pour la disparition d'un de ses équipiers. La mort de Vladimir Lietchenko ne devait faire aucun doute pour les théoriciens des équipes spéciales, car il ne fut même pas fait mention d'ordres de recherches pour en établir la preuve tangible.

On n'avait pas de temps à perdre.

A Moscou, quelques heures après l'émission de Koubiatz, le capitaine Tcherkov recevait des instructions du bureau de tactique opérationnelle de l'Innistranny Otdiel, 1re Division du K.G.B. Tous les éléments d'action avaient été groupés une nouvelle fois, ordonnés et schématisés. Ce schéma, joint à une étude des cartes du sud-est de la France, allait orienter les recherches vers l'Italie du Nord, région de Turin.

Il paraissait en effet logique, qu'après s'être vu détecté et avoir abattu un de ses poursuivants, le fugitif cherche à gagner l'étranger le plus rapidement possible. Ceci pour devancer une éventuelle découverte du corps de sa victime par la police française, autant que pour tenter une fois de plus d'échapper aux recherches du K.G.B.

Dans une fuite en catastrophe, il suffisait d'examiner les cartes du pays pour que la direction prise apparaisse aussi clairement qu'un balisage. La frontière italienne était la plus proche.

Les lignes directrices données par l'étude du dossier psychologique du sujet éliminaient toute tentative de gagner dans l'immédiat un pays lointain. Trop intelligent et trop expérimenté. Par contre, elles mentionnaient comme « possible » le choix d'un refuge en Suisse. Et la frontière suisse est à cent trente kilomètres de Turin.

Le capitaine Tcherkov fit transmettre les instructions à Koubiatz. Un nouvel équipier, remplaçant le disparu, le contacterait à Turin. Tactique inchangée.

Pour le reste, si cette hypothèse se révélait fausse, le K.G.B. comptait sur l'habituel apport d'erreurs et d'imprudences « humaines » de la part du fugitif, pour reprendre l'expérience.

Que ce dernier se soit aperçu, en neutralisant son agresseur, par quel moyen il avait été détecté, ne modifiait rien au déroulement de l'opération. On savait qu'à moins du plus improbable des hasards les émissions ne cesseraient jamais de le trahir.

XI

Ignorant ces brillantes déductions, Yako filait vers l'Espagne, confortablement installé à côté de Barney. Derrière lui, Tom, assis sur sa banquette, ne décollait plus son museau de la vitre.

Bel après-midi d'automne, ensoleillé, beaucoup de trafic sur la route, voitures chargées d'estivants qui rentraient. Le mistral s'était remis à souffler depuis Narbonne.

On s'était arrêté pour acheter des sandwiches auxquels Barney n'avait pas touchés, puis pour remplir le flask qu'il venait de vider une fois de plus.

Impossible de rester sans boire avec lui. D'abord, Yako avait fait semblant, se contentant de porter le goulot à ses lèvres sans avaler, puis il avait laissé filtrer de petites gorgées, distraitement, jusqu'à ce qu'il en éprouve un certain plaisir. Il se sentait détendu et légèrement euphorique, sans perdre pour autant sa lucidité.

Barney, lui, recommençait à délirer doucement, sans cesser pour autant de bien conduire. Il parlait de New York, de l'Espagne, de la France, en mélangeant le tout, une sorte de caricature d'un pays monstrueux.

— ... le monde sera comme une seule grande ville... Spheric-city... Ça a commencé avec les quartiers, Harlem, China-Town, Sacramento, Hambourg, Shanghai... Une ville étalée sur la planète, imaginez ça, avec ses quartiers, ses faubourgs, blancs, noirs, jaunes, et ses petits restaurants de spécialités... On pourra marcher dans les rues pendant toute sa vie. Un art nouveau, mon vieux, un art de bâtisseurs, des équipes fonctionnarisées, comme les boueux, quoi... Et quand la ville sera étalée, l'ultime couche géologique, les pierres et le ciment monteront de plus en plus haut, comme de la pâte à gâteau...

Et ainsi de suite, sans passion, comme s'il racontait un conte à un enfant. A la cadence des cigarettes et des gorgées de whisky. Yako écoutait. Barney ne croyait pas ce qu'il disait, ou, s'il le croyait, il s'en foutait. Il y en a, en Russie autant qu'ailleurs, qui se défoulent de cette façon.

— Pourquoi vivez-vous ? demanda Yako.

— Quoi ?

— Oui, je vous demande pourquoi vous continuez à vivre.

Barney décolla son pied de l'accélérateur et lui lança un regard aigu :

— Mais parce que je suis malade, mon vieux, très malade. Tellement occupé à survivre. Sinon, je me serais fichu en l'air.

— Vous vous soignez ?

Barney ne répondit pas. Ses mains se crispèrent légèrement sur le volant. Puis il demanda :

— Et vous ? Des désirs, des ambitions, de grands espoirs ?

— Non, répondit Yako.

— Peur de la mort ?

— Je ne crois pas.

Barney souffla délicatement une bouffée de fumée et demanda en souriant :

— Vous vous soignez ?

Yako ferma les yeux, sans répondre.

— J'ai envie d'un grand verre de bière fraîche, ajouta Barney. Pas vous ?

Ils entraient dans Perpignan, il était 3 h 40.

*

Après la halte dans une brasserie, ils passèrent la frontière trois quarts d'heure plus tard. Les postes étaient encombrés dans les deux sens, les voitures défilaient au pas, passeports tendus ouverts par les portières.

Dans sa guérite vitrée, le policier espagnol, presque aussi indifférent qu'un poinçonneur de métro, les regardait à peine. Il épluchait les documents d'une voiture de temps en temps, au hasard. Mais il parut se réveiller devant le chien et examina les papiers de vaccination avec attention.

Ce qui le porta sans doute à regarder de plus près le passeport de son propriétaire, puis il se pencha pour dévisager le propriétaire lui-même et fronça les sourcils en se soulevant sur sa chaise.

Yako sourit. S'il devait descendre de la voiture, le renflement fait par le Smith and Wesson dans la poche de son large pantalon de velours se verrait à peine ; renflement aux trois quarts recouvert par l'ample chandail de laine. Il faudrait qu'on le fouille...

Si on le fouillait, on découvrirait aussi le poignard, lacé sur son mollet. Mais il n'y avait aucune raison pour qu'on le fouille.

Sourcils toujours froncés, le policier se tapotait les joues et le menton, regardait encore la photo du passeport, et Yako se livrait à la même mimique, caressait sa barbe et hochait la tête en riant. Le policier se décida à rendre le passeport.

Ils n'eurent à descendre de voiture que pour changer de l'argent.

— Moi aussi j'avais laissé pousser ma barbe à un moment, dit Barney. On s'imagine toujours que ça va changer quelque chose.

— A quoi ? demanda Yako.

— Au monde, bien sûr, répondit Barney en riant. Mais vous, c'est différent, transitoire, je suppose. Une barbe de vacances, comme d'autres achètent des chapeaux de paille et des chemises à ramages. Ça renouvelle.

Ils prirent la route de Barcelone, et s'y arrêtèrent pour passer la nuit.

— Vous connaissez Barcelone ? demanda Barney.

— Je n'étais jamais venu en Espagne.

— C'est la ville la plus dégueulasse que je connaisse.

Ils descendirent dans un petit hôtel de la Plaza Real, dînèrent de *tapas* à un comptoir du Bario et burent du cognac dans quelques boîtes à filles. Yako se sentait à l'aise. Au fond, c'était la première fois de sa vie qu'il mettait le pied dans un pays inconnu sans y avoir été envoyé pour raisons de service.

Un pays dont il ignorait totalement l'aspect et la langue, et auquel ne pouvait se rattacher aucun souvenir.

Contrairement à leur légende, les agents de renseignements ne sont pas de grands voyageurs. Leurs itinéraires précis, leurs étapes et le travail auquel ils sont astreints, plus rigoureusement établis encore que ceux d'un voyageur de commerce, leur font traverser le monde comme dans un tunnel. Et s'ils finissent parfois, après un long séjour, à s'identifier à un pays, comme ç'avait été le cas de Yako pour l'Angleterre, ce n'est jamais qu'au cadre le plus étroit de leurs activtés. Comme un ouvrier à son usine.

Ici, le dépaysement brutal s'ajoutait à la compagnie de Barney et à son étape de dix jours dans les collines. Et il se sentait glisser dan une sorte d'amnésie euphorique, qui estompait les images du passé, avec beaucoup plus de force que pendant les deux dernières semaines.

Les services de Renseignements, particulièrement les Services soviétiques, préparent leurs agents à tout, sauf à la liberté.

Yako en avait conscience, comme on a conscience d'un début d'ivresse. Il assistait à ce phénomène avec un étonnement passionné, comme s'il faisait l'expérience d'une drogue, en demeurant lucide et sans cesse de s'en représenter le danger.

Le point culminant fut atteint au Hawaï Club. Un petit beuglant du Bario, formica rouge partout, lumière de néon, avec un bar de sept ou huit mètres et des tabourets. De l'autre côté du bar, à la place de l'habituel évier de rinçage, une sorte de banquette de bois où venaient se percher les filles.

Il y en avait six, maquillées et habillées comme les pensionnaires d'un bordel convenable. Jeunes et pas laides. Elles servaient à boire et elles venaient se percher en face du client. Yako et Barney en avaient chacun une. Elles ne disaient rien. Les autres bavardaient entre elles, ou avec les clients espagnols.

Un juke-box tonitruait du *flamenco*. Les yeux vagues, Barney liquidait du cognac en parlant d'un ton monocorde d'un chien qu'il avait eu. Ça durait depuis le restaurant ; on arrivait à la mort du chien.

— J'aimais énormément ce chien. De le voir mourir, j'ai eu une sorte de dépression nerveuse, il y avait aussi d'autres choses à ce moment-là. Il fallait absolument m'en tirer, réagir, vous comprenez ça ? Alors j'ai donné ce chien mort à mon cuisinier. Je recevais ce soir-là des gens de cinéma, extrêmement snobs, pas du tout le genre à demander ce qu'on leur sert à manger. Il a préparé le chien avec des ananas.

— Et vous, vous en avez mangé ?

Sans quitter son verre des yeux, Barney secoua la tête :

— Il y avait pour moi deux petits morceaux de chevreuil dans le plat. Eh bien, de voir la tête qu'ils faisaient, ou plutôt la tête qu'ils s'efforçaient de ne pas faire, j'ai été guéri. J'avais franchi le cap. Est-ce que vous comprenez ça, l'Anglais ?

— Qu'est-ce que c'était comme chien ?

— Un setter irlandais.

— Et, demanda Yako, il y en a eu assez pour tout le monde ?

Barney éclata de rire. Une des filles en profita pour demander une cigarette, puis l'autre qui piocha dans le même paquet. Barney leur parla en espagnol et leur montra des bouteilles. Elles amenèrent deux grands verres, en riant.

Pendant que l'Américain préparait des mélanges ahurissants pour les deux filles, Yako commença à lui raconter sa vie. Cela venait tout seul, l'enfance à Bristol, la mère morte d'un cancer, les études, la sœur aînée qui vivait maintenant à Oslo, les vacances à Brighton, le cricket et la petite fille, jamais revue, dont il était amoureux. Son meilleur copain qui s'était tué en sautant en parachute, les fiançailles rompues avec une Irlandaise de Dublin. Des saouleries historiques et son indéfectible attachement aux leaders travaillistes. La vente des assurances, des appareils ménagers et enfin, en confidence chuchotée, cette histoire tellement vraie d'un collègue vendeur, retour de Paris, lui refilant un billet de la loterie française, et ce billet justement gagnant une assez belle petite somme.

— Ce qui me permet de me payer un peu de vacances supplémentaires. De changer un peu de peau, surtout.

Barney lui tapait dans le dos en lui assurant qu'il n'avait jamais rencontré un type aussi authentique.

Et Yako sentait que tout ce qu'il venait de raconter était vrai, plus vrai que la réalité. Une métamorphose beaucoup plus profonde que n'importe quelle transformation de chirurgie esthétique. Il avait récité cela pour lui seul, comme un acte de foi.

Les gestes de Barney devenaient ataxiques et son visage faisait penser à une chandelle qui coule. Les filles s'amusaient beaucoup.

— Ne vous avisez pas, dit-il soudain, de leur proposer de l'argent pour coucher avec elles. Ce sont simplement des allumeuses, des dames de conversation.

— Des entraîneuses ?

— Oui. Le même verre que nous payons dix

pesetas, s'il est bu par l'une d'elles, coûte cinquante pesetas. C'est curieux, n'est-ce pas, cet usage de geishas populaires chez un peuple qui n'a aucune conversation ? D'ailleurs les types qui viennent ici restent juste le temps de les reluquer, de s'échauffer un peu le sang avant d'aller se vautrer, les yeux fermés, avec une de ces horribles vieilles putains qui attendent dans un ou deux autres bistrots spécialisés. Vous voulez voir ?

— Non.

— Dommage, elles sont assises sur des chaises, le dos au mur, sur près de trente mètres de long. Les hommes entrent, font un tour au comptoir, choisissent ou foutent le camp en courant s'ils ne sont pas assez ivres. La salle d'attente des putains sexagénaires.

*

Ils étaient repartis le lendemain matin. Barney paraissait à la limite de l'évanouissement et il avait demandé à Yako de prendre le volant. A mesure qu'ils s'avançaient vers l'intérieur, en direction de Saragosse, la chaleur se faisait plus âpre.

Barney se soignait à petites gorgées de whisky, qu'il avalait ponctuellement, comme un médicament et selon une posologie qu'il devait connaître parfaitement.

Après Lerida, il n'y avait presque plus de touristes sur la route. Quelques camions, des charrettes attelées d'ânes, de rares autobus bondés d'hommes et de femmes vêtus de noir. A partir de 2 heures de l'après-midi, la route se dépeupla entièrement. L'heure du repas espagnol commençait, expliqua

116

Barney et, avec la sieste, cela allait durer jusqu'à quatre heures.

— Même les autocars s'arrêtent, il y a des haltes prévues près des auberges. Tout le monde descend pour se bourrer de cocido, de chorizo et de vin rouge.

A 3 heures, ils se trouvaient à une quarantaine de kilomètres de Saragosse, quand une Seat noire klaxonna impérieusement pour les doubler à moins de trente mètres d'un virage, les doubla en cahotant pendant que Yako freinait de toutes ses forces, puis la Seat manqua le virage, voltigea gracieusement par-dessus le parapet et tomba dans l'Ebre.

— Arrêtez, nom de Dieu, criait Barney en empoignant le volant. Des femmes dedans, rien que des femmes, j'ai vu...

Yako essayait de se dégager, amorçait le virage.

— Mais stoppez, bougre de salaud. Vous ne voulez pas...

Barney coupa le contact, écrasa le frein d'un coup de talon et sauta dehors. Il courait maladroitement vers la rive en se débarrassant de sa veste. Yako courait derrière lui en hurlant qu'il était fou, qu'il allait crever, dans son état ; de le laisser faire, lui...

Barney avait déjà piqué une tête, grand style. Yako enjamba le parapet et s'immobilisa sur la rive, rejoint par Tom jappant, excité, quêtant un ordre.

Du remous, de grosses bulles qui venaient éclater à la surface, une odeur soudaine de pourriture, de vase remuée. Crevé et ivre comme il l'était, Barney n'avait aucune chance de s'en sortir. Personne n'avait aucune chance. Les femmes...

Yako se retourna et fixa les yeux sur la Volkswagen, arrêtée de l'autre côté de la route, portières
ouvertes.

Il entendit gémir Tom. Le chien grattait le bord
de la berge, l'échine ployée, se retournait. Avec des
gestes rapides et précis, Yako délaça le poignard de
son mollet, le glissa dans sa poche de pantalon et
commença à se dévêtir entièrement. Il leva la tête,
le visage de Barney apparaissait à la surface, les
yeux fermés, la bouche grande ouverte, puis dispa-
rut une nouvelle fois.

Seulement vêtu de son slip, Yako allait plonger
quand quelque chose de noir s'étala sur la surface,
suivi de Barney grimaçant, les yeux révulsés. Il
essayait de pousser le paquet noir, reglissait au fond
insensiblement, et le tout commençait à tournoyer
dans le courant, à s'éloigner.

Yako plongea, suivi de Tom. Le courant était
plus fort qu'il ne paraissait de la rive. Yako réussit
enfin à accrocher Barney, à lui maintenir la tête
au-dessus de l'eau. Barney trouvait encore la force
de gargouiller :

— La fille... The girl, catch the girl...

Tom avait croché le paquet noir dans sa gueule,
et il avait l'air de se servir du courant pour atteindre
la berge à la courbe du fleuve.

Yako empoigna le tout. A présent, Barney s'ac-
crochait à ses épaules et il tenait bon. Une vigueur
étonnante.

Yako ne voyait rien de la fille. Tom, en avant,
devait la tenir par le col de sa robe. Elle se mit
soudain à s'agiter, à se débattre à petites saccades,
sèches comme des convulsions. Yako reçut un coup

118

de pied dans le ventre, jura et tenta de lui immo-
biliser les jambes.

Elle cessa brusquement de se débattre au moment
où ils atteignaient la rive.

Yako se hissa, tendit le bras à Barney qui rampa
sur le ventre et s'immobilisa, à bout de souffle. Puis
il attrapa Tom par le cou et put enfin identifier le
paquet noir, la soutane d'un vieux curé au visage
squelettique enrubanné d'herbes noirâtres, bouche
béante hérissée de chicots.

La soutane étalée sur l'eau comme un parachute.
Empoigné, ramené sur la berge aussi facilement
qu'une serpillière. Dégoulinant, et mort selon toute
apparence.

— Crevé, lança Yako, furieux.

Sans bouger, le nez dans l'herbe, mais toujours
en proie à son idée fixe, Barney murmura qu'il
fallait tenter la respiration artificielle.

Sans un mot de plus, Yako retourna le curé sur
le ventre, s'installa à califourchon et commença de
peser sur les dernières côtes. Tom s'ébrouait, toussait, mangeait de l'air.

— Pas ça. Le bouche-à-bouche...

Barney avait tourné la tête. La joue posée sur le
sol, il regardait. Grelottant.

D'un geste brusque, Yako fit basculer le curé sur
le dos.

— Nom de Dieu... souffla Barney en fermant les
yeux.

Yako entreprit le bouche-à-bouche. Il ne l'avait
pas pratiqué depuis les cours de sauvetage de l'armée. Il ne savait même pas pourquoi il obéissait.
Peut-être à quelque chose d'indéfinissable dans le
ton de Barney, qui agissait sur de vieux réflexes.

Il entendit des pas qui martelaient le sol, et il ne s'interrompit pas. Des exclamations, des voix espagnoles, puis encore le murmure agonisant de Barney.

Tout ce qui allait suivre, il l'avait prévu. Depuis le coup de talon de Barney sur le frein. Pourtant, il continuait, parce qu'il ne trouvait rien d'autre à faire. Et envie d'éclater de rire, tout à coup : les lèvres d'un agent soviétique rivées à celles d'un vieux prêtre espagnol. Magnifique photo du traître à faire circuler dans toutes les écoles d'espionnage soviétiques.

Il se sentit saisir sous les bras, amicalement, avec tendresse. Il y eut comme un murmure de choristes, apitoyé, puis admiratif.

Trois hommes, deux femmes qui se trituraient les mains, un énorme type en uniforme qui devait être policier de la route, plus un garde civil au visage bosselé, et son double, qui avait soulevé Yako, ôtait maintenant son bicorne et prenait la relève du bouche-à-bouche. Tout le monde se mit à parler en même temps et à gesticuler.

Barney était à quatre pattes sur l'herbe, on ne savait s'il grelottait ou s'il riait. Il se retournait et montrait du doigt l'endroit où la Seat avait coulé, il balbutiait en espagnol, alors tout le monde secouait la tête négativement et la rumeur s'amplifiait.

Tom, assis, cessait de se lécher pour regarder le spectacle d'ensemble avec une intense curiosité.

Yako fut enveloppé d'une couverture, dont il se débarrassa en songeant aux armes dans ses vêtements, ses vêtements auxquels personne n'avait encore touché, apparemment. Il fit signe que tout

120

allait bien et se dirigea vers l'endroit où il les avait posés.

Barney s'effondra alors comme une masse, mort ou évanoui. D'autres gens accouraient, curieux, gesticulant, vociférant, enfin des policiers, toute une armada casquée et de gardes civils avec des brancards.

Le garde civil au bouche-à-bouche hurla « Vive ! vive !... » et se mit à triturer sauvagement la poitrine du curé, qui éructa un flot de liquide vert. En revenant, torse nu, son chandail à la main, Yako croisa le mince regard gris posé sur lui.

Les femmes faisaient des signes de croix, dévisageaient Yako. « Estranjero... Estranjero... Aleman, seguro... »

Personne ne faisait attention à Barney. Sauf Tom, qui s'était approché de lui et lui léchait les cheveux. Yako s'agenouilla, le retourna et lui souleva les paupières. Puis il lui prit le pouls, qui battait faiblement, trop vite. Il fit signe aux porteurs de brancard, qui acheminèrent enfin Barney, précédé du curé, bras ballants, et dont une main se soulevait dans une incroyable tentative de bénédiction.

On entraînait Yako aussi, courtoisement, mais fermement, et Tom suivait, attentif, semblait-il, à ne pas se faire remarquer. On fourra tout le monde dans la même ambulance, curé, Barney, Yako, avec un type en blanc, stéthoscope en sautoir, et l'inévitable policier casqué, souriant, mais pesant de tout son poids dans la scène. Tom, accepté au dernier moment, imposé par Yako qui le tira à l'intérieur.

Deux gardes civils en faction devant la Volkswagen, dont ils avaient fermé les portières. Et la foule, voitures garées, d'autres qui arrivaient, freinaient.

L'ambulance démarrait. Celui qui avait l'air d'un médecin, ou d'un infirmier, s'occupait de Barney, faisait une piqûre, revenait au prêtre.

Le policier souriait à Yako, tentait d'expliquer :

— Aleman ? Ingles... ? Ahora, la ciudad, hablar...

XII

Barney avait repris connaissance quand ils arrivèrent à l'hôpital de Saragosse. Le bain l'avait
dessaoulé et il ne paraissait pas en plus mauvaise
forme que d'habitude. Pendant la dernière partie
du trajet, il fut en mesure de raconter l'accident au
policier, qui prit des notes. Le curé dormait ou il
était dans le coma.

Barney se tourna vers Yako :

— Ça n'a pas été très difficile, il n'y avait pas
plus de cinq ou six mètres de fond. La Seat était
tombée sur le côté, avec une vitre ouverte par où
l'eau était déjà entrée. Ils étaient quatre dedans, que
j'avais pris pour des femmes. J'ai attrapé le premier
qui m'est tombé sous la main. Et il paraît que j'ai
eu la main heureuse, parce que celui-là c'est l'évêque. Là-bas, quand je leur ai dit qu'il y en avait
encore trois autres à tirer du fond, personne n'a
pipé, vous avez vu... Tous d'accord pour penser
qu'il était trop tard, tant pis, oraison funèbre. On
avait récupéré le principal, ça suffisait. Ils vont
ramasser le tout avec une grue...

A l'hôpital, Barney fut transporté à la salle de
consultation. Deux fonctionnaires de la police, dont

un parlait anglais, reçurent Yako dans le bureau du directeur. Tom suivait sur ses talons, le museau bas et l'air de ne pas très bien savoir où se mettre.

Après des félicitations, formulées sur un ton officiel, Yako fut invité à décliner son identité, puis à exhiber son passeport, enfin à narrer ce qu'il avait vu de l'accident.

Une sœur obèse et noiraude entra, avec du café et du cognac.

Yako s'efforça de minimiser son rôle le plus qu'il put, reportant la gloire du sauvetage sur Barney, et sur Tom qui s'était lové sous le bureau, le nez sur la queue.

Le policier-interprète traduisait, et tous deux souriaient, approbateurs mais incrédules devant le récit du héros trop modeste.

— Nous sommes navrés que votre initiative courageuse retarde votre voyage. Où aviez-vous l'intention de vous rendre ?

— A Lisbonne, soupira Yako. Mon ami s'arrêtait à Salamanque.

Il apprit que la Volkswagen allait être conduite au siège de la police, où son propriétaire pourrait la récupérer. Puis un médecin apparut et annonça que Barney ne présentait aucun symptôme alarmant...

— Consécutif à son immersion, précisa-t-il. Mais nous jugeons préférable de le garder en observation jusqu'à demain matin. Il est très faible... Etes-vous un de ses parents ?

Comme Yako secouait la tête, le médecin éluda, murmura que l'état général de Barney n'était pas très satisfaisant, puis il enchaîna :

— Monseigneur a repris connaissance, et nous

prie de vous transmettre son infinie gratitude. Il aurait voulu vous la dire de vive voix et a insisté pour vous recevoir lui-même. Malheureusement, nous n'avons pu le lui permettre. Nous pouvons vous assurer qu'il vivra, mais il a besoin de beaucoup de repos.

Yako apprit enfin que l'évêché de Saragosse mettait un appartement à sa disposition et serait honoré de le recevoir pendant toute la durée de son séjour. Mais que, s'il préférait demeurer auprès de son ami, l'hôpital tenait prête à son intention une chambre de visiteur, et serait tout aussi honoré, etc.

Il n'y avait que la police, semblait-il, qui ne se montrât pas encore prête à le loger.

Yako aurait donné n'importe quoi pour disparaître, quitter la ville dans l'heure suivante. Il ne pouvait évidemment le faire sans risquer d'éveiller l'attention de la police. Il choisit la chambre de visiteur et, sans oser exiger l'anonymat, insista auprès des policiers pour qu'une publicité exagérée ne soit pas donnée à cet incident.

On lui offrit de le conduire au siège de la police, mais ce n'était que pour récupérer, s'il le désirait, ses « vêtements de nuit » ainsi que ceux de son ami, dans la Volkswagen qui devait être arrivée.

En descendant les marches de l'hôpital, encadré par les deux policiers et toujours suivi de Tom, Yako se trouva brusquement face aux photographes. L'un des policiers lui saisit alors la main, l'autre le prit amicalement par l'épaule, sous les exclamations approbatrices des journalistes. Une belle pose pour la postérité.

Yako se ramassait sur lui-même, se voûtait,

essayait de baisser la tête, mais on l'interpellait, des groupes se formaient de l'autre côté des grilles, la nouvelle circulait, on l'acclamait. Tom grondait, enfin aboyait, et tout le monde riait.

Yako, dont toute la pensée était à présent dirigée sur le service d'Information K.G.B. 4e section : dépouillement et classement quotidien de toute la presse internationale — pensa soudain que le mieux était encore de donner une imagine conforme au personnage d'Henry Forstal après un exploit aquatique, c'est-à-dire souriante et détendue.

Aucun des photographes qui mitraillèrent ainsi le héros dans cette excellente pose ne devina qu'elle était en fait directement conçue et adressée aux services de renseignements soviétiques.

Des journalistes munis de bloc-notes s'approchaient, écartés quand-même par les policiers, et Yako s'engouffra avec sa suite dans la voiture de la police, qui démarra aussitôt.

Il était assez improbable que Moscou fasse un rapprochement entre le traître recherché et l'Anglais hilare qui vient de sauver un évêque. Quant à la photo, Yako comptait sur sa transformation physique, et le fait que le K.G.B. ne devait posséder de lui aucune photographie où s'esquissât même l'ombre d'un sourire.

*

Effectivement, il put s'assurer, le lendemain matin, que l'image reproduite par les journaux n'avait aucun point commun avec les photos et le signalement possédés par Moscou. De plus, le cliché n'était pas très net.

Quant au nom d'Henry Forstal, seuls deux hommes du Service Secret britannique et lui-même savaient qui il cachait.

Barney apparut, d'excellente humeur et retapé par une nuit de sobriété et de sommeil. Les articles consacrés au courageux sauveteur, encadrés par la photo de Yako et celle de l'évêque, paraissaient lui causer une grande joie. Barney y tenait tout juste la place d'un assistant, d'un vague comparse.

— Ils ne m'auraient jamais cru si je leur avais dit que c'était moi qui avais repêché l'évêque. D'ailleurs, vous êtes beaucoup plus représentatif, avec votre barbe. Je ne regrette qu'une chose, c'est que vous n'ayez pas accepté de passer cette nuit à l'évêché. Si on allait boire quelque chose ?

Ils reprirent la route par Soria et Valladolid. Barney voulait éviter Madrid et tenait à passer par la Vieille Castille.

Ils arrivèrent à Salamanque à huit heures du soir.

*

Il faisait chaud. En traversant Valladolid, Yako avait acheté un blouson de cuir, une chemise et un pantalon de flanelle et il s'était changé. Barney approuvait ce nouvel équipement.

— Vous aviez un peu l'air de revenir du Klondyke. Il n'y a que ce pauvre Tom qu'on ne peut pas alléger.

Tom avait l'air de s'en fiche. Il suivait, aussi à l'aise et indifférent dans les rues de Valladolid qu'à Avignon ou Saragosse.

A Salamanque, Barney devait retrouver des amis,

deux cinéastes américains et une Française, nommée Constance, qu'il paraissait connaître depuis longtemps... Après quoi, dit-il, il gagnerait la côte sud, Malaga ou Carthagène, où deux yachts à vendre lui avaient été signalés.

C'était la première fois qu'il parlait de ses projets personnels.

— Passer le restant de ma vie seul sur la mer, dans un petit bateau.

Il ajouta en riant :

— On m'a raconté l'histoire d'un type, atteint d'un cancer incurable, qui choisit cette forme de suicide. Il ne connaissait rien à la navigation et il est parti tout seul de Liverpool, en se disant que ça durerait sans doute moins longtemps que son cancer. Les médecins lui donnaient trois mois à vivre. Cette histoire est vieille de quinze ans, en ce moment le type doit être du côté de la Barbade, en pleine forme... Ça peut être une expérience intéressante...

Il jeta un coup d'œil amusé à Yako :

— Comme si la mort avait perdu sa piste, sur la mer... Dites-donc, je suppose que vous n'allez pas repartir ce soir pour Lisbonne. Voulez-vous passer cette soirée avec nous ? Constance est une femme remarquable, et je suis sûr que vous lui serez sympathique. Descendez avec moi au Monterrey, c'est là que nous devons tous nous retrouver...

La voiture était arrêtée devant un feu rouge. Barney fixa la barbe de Yako avec un nouveau sourire amusé, toussota et ajouta :

— Le Monterrey est une sorte de palace. Mais en Espagne, vous savez, les palaces sont relativement bon marché.

128

Yako passa la main sur sa barbe, et demanda à son compagnon de l'arrêter devant un magasin :

— Comment dit-on, en espagnol : rasoir, blaireau, savon à barbe ?

Barney leva les sourcils :

— Vous n'allez pas enlever cette barbe magnifique, j'espère ?

— Non, simplement la tailler un peu. Ça fait peut-être un peu trop homme des bois pour le Monterrey, non ?

— Excellente idée. Cette barbe allait avec le pull-over. Maintenant, transformez-vous en hidalgo ou en émir de Cordoue.

Il approuvait avec la même passion puérile que pour l'achat du blouson, et il paraissait encore s'amuser beaucoup.

Tout à fait installé dans son rôle de petit bourgeois anglais, Yako se demandait où tout cela allait aboutir. Si Barney lui aussi jouait un rôle, il le tenait à la perfection. Le double sens de certaines de ses réflexions pouvait être imputé à la seule interprétation de l'auditeur. Un auditeur fortement conditionné par sa situation.

Si la soirée du Monterrey était en réalité une entrevue préparée à l'avance, cela signifiait contact, probablement par la C.I.A. Propositions en échange d'informations.

Dans ce cas, pourquoi ces propositions n'auraient-elles pas été formulées directement à Avignon ? En admettant que, pour l'identifier et le retrouver à Avignon, la C.I.A. ou n'importe quel autre service, ait disposé de moyens plus efficaces que le K.G.B...

Pourquoi ce long voyage, toute cette mise en

scène ? Concurrence avec les services français, par exemple ? Ou menace de le livrer aux autorités espagnoles, la gueule du loup...

D'autre part, vu la valeur des informations que Yako, agent subalterne, eût été en mesure de leur fournir, s'il avait accepté de le faire, n'était-ce pas leur accorder une importance disproportionnée ?

A moins que quelque chose lui ait échappé, et qu'il soit en mesure de leur fournir un renseignement dont il ignorerait la valeur. En matière de renseignement, ce qui est sans intérêt pour les uns peut être capital pour les autres.

Barney l'ivrogne, le malade, Barney de qui l'ironie n'avait jamais été exempte d'une sorte de chaleur amicale, comme une connivence, une bizarre complicité...

Ou bien toutes ces suppositions n'étaient-elles qu'imagination, déformation professionnelle qui réapparaissait, se manifestait à la moindre sollicitation...

Au Monterrey, où Yako n'eut pas besoin de se forcer pour tenir son rôle de petit représentant un peu fourvoyé, ils obtinrent deux chambres voisines et convinrent de se retrouver dans le hall une demi-heure plus tard.

Les employés de la réception devaient avoir lu les journaux, car une discrète sollicitude montra aux deux hommes qu'on les avait reconnus, et Tom fut admis sans discussion.

La chambre de Yako lui parut d'un luxe royal. Mais ce n'était au fond qu'une sorte de réplique solennelle de celle d'Avignon, et on s'habitue vite à ces choses-là. L'étrange impression de trahir, qui l'avait un peu oppressé deux nuits auparavant, ne se manifesta pas une seconde fois. On s'habitue aussi très vite à ces choses-là...

Il tailla sa barbe en collier, réunie à la moustache encadrant la bouche, tombant, à la mongole. Modèle pris sur un type aperçu en traversant Valladolid. Cette idée, il l'avait eue avant que Barney ne la lui ait suggérée, bien avant qu'on ne parle du Monterrey.

Et cela n'avait absolument rien à voir avec un souci de nouveau maquillage pileux, qui eût été par trop puéril. Pour la première fois peut-être de sa vie, Yako obéissait à une considération purement esthétique. Et sans s'en rendre compte, il agissait exactement comme l'eût fait Henry Forstal, petit bourgeois de Londres : ici, c'était plus convenable.

Levant son visage ruisselant face à la glace du lavabo, il se contempla avec satisfaction. Sans remarquer que cette nouvelle transformation était aussi étonnante que la première ; simplement, il se trouvait bien.

XIII

Barney l'attendait en compagnie d'une femme aux cheveux gris tirés en bandeaux sur les tempes, au visage étrangement jeune, lisse et paisible. Les seules rides semblaient s'être concentrées entre les sourcils et aux commissures d'une grande bouche pathétique. Elle était vêtue d'une simple robe de jersey noir qui laissait deviner un corps souple, à peine empâté.

Dès qu'il eut pénétré dans le hall, Yako se sentit capté par le faisceau des deux grands yeux marrons, attentifs. C'était une impression bizarre, un peu pénible, comme du pilote d'un avion accroché par un projecteur.

Barney s'exclamait :

— Fantastic... Un Kabyle ! Vous avez l'air d'un chef kabyle descendu de sa montagne.

Il le présenta à Constance :

— Un des phénomènes les plus rares de notre époque : un homme qui ne cherche pas à passer pour ce qu'il n'est pas. Henry Forstal, représentant de commerce et le meilleur compagnon.

Puis, se tournant vers Yako :

— Constance dirige à Paris un cabinet de psychologie, mais son métier ne l'a pas encore déformée. Les deux autres ne sont pas là : partis hier pour Avila, ils veulent étudier une possibilité de film sur sainte Thérèse. Ils ont trouvé le sujet dans un dépliant touristique, ils trouvent ça formidablement commercial...

Constance sourit et demanda à Yako où se trouvait le chien Tom. Elle s'exprimait dans un anglais parfait, avec un léger accent chantant, en regardant Yako droit dans les yeux. Et l'impression de malaise, qui avait envahi Yako au premier contact, se dissolvait brusquement devant l'extraordinaire simplicité de cette femme.

Il émanait d'elle quelque chose d'indéfinissable, qui abolissait toute méfiance et contre quoi il ne pouvait pas lutter. Il avait suffi de quelques mots anodins, de ce visage levé vers lui, et des yeux, surtout, de ce regard maintenant proche, dans lequel il avait la sensation d'exister sans secrets, d'habiter. Un regard au fond duquel il se sentait bien.

— Constance a retenu une table au Corinto, dit Barney. On a juste le temps de boire un verre ici, pour ne pas faire de peine au barman...

Ce fut un dîner sans histoire, Yako aurait été incapable de dire ce qu'ils avaient mangé, ni de quoi ils avaient parlé. Il ne se rappela pas avoir prêté la moindre attention au cadre, ni aux gens qui les entouraient. Pourtant, tout prenait une importance décuplée, une infinité de sensations qui s'estompaient à peine perçues.

Selon son habitude, Barney faisait presque tous les frais de la conversation, et comme toujours il parlait pour lui-même, il se racontait des histoires.

133

Mais le vrai dialogue s'était établi entre Constance et Yako, un dialogue presque toujours muet, d'expressions à peine ébauchées, sourires et regards, qui rebondissait sur le monologue de Barney comme des balles sur un fronton.

Ce n'était rien d'autre qu'une sorte de complicité paisible, une curiosité réciproque, que Yako ne parvenait plus à fixer dans les limites professionnelles auxquelles il était habitué.

Ils avaient échangé quelques mots banals, sur le goût d'un plat, le pays qu'il avait traversé avec Barney, et surtout le chien Tom. Pas une seule fois elle n'interrogea Yako sur lui-même ; seulement sur Tom.

— Il s'est attaché à vous comme à un autre nomade. Croyez-vous qu'il supportera la vie sédentaire, quand vous le ramènerez en Angleterre ?

Tout à fait ivre, Barney faisait des tours avec des allumettes, se trompait, expliquait, insoucieux d'être écouté ou non.

— Je ne mène pas une vie très sédentaire, répondit Yako. Je l'emmènerai avec moi en tournée. Si je rentre...

Constance ne releva pas la dernière phrase. Elle le regardait simplement, grave et attentive. Yako reprit, en souriant comme d'une boutade :

— Mon rêve, ce serait de continuer. Pas de ramener Tom en Angleterre, mais de le suivre, lui. Malheureusement...

Yako transportait à peine la vérité. Il savait qu'un homme dans sa situation avait une chance de survie en se déplaçant sans cesse. En ne s'arrêtant jamais, nulle part, plus d'un jour ou deux. La sécurité dans le mouvement, la vitesse, comme les types du mur de la mort sur leurs motos. Jour après jour, année par année. Malheureusement, on finit toujours par s'arrêter, même en « sachant », parce qu'on ne croit plus. La croyance dans la mort, c'est un peu comme la foi. Indépendance de soi, et fragile...

Constance avait insisté pour montrer à Yako l'Université et la Catedral Nueva illuminées. Il faisait doux, les rues qui bordaient les deux édifices étaient désertes, comme si à minuit toute la vie de la ville s'était concentrée vers la Plaza Mayor.

Le Patio de las Escuelas, comme une cour paisible devant l'extraordinaire façade de l'Université, plaques d'ombres et de lumières d'où émergeaient des visages de pierre, et Barney qui suivait en titubant, parlait de stalactites et de gouffres, montrait la nuit étoilée et demandait quand on allait remonter.

*

Ils étaient rentrés aussitôt après et s'étaient séparés en convenant de se retrouver le lendemain matin pour le petit déjeuner, avant le départ de Yako.

Tom attendait, étendu de tout son long sur le lit, l'œil vague.

— Tu en prends des habitudes, grommela Yako. Toi aussi...

Il commença à se déshabiller, passa dans la salle de bains et trébucha sur un grand plat, vide et soigneusement léché ; la nourriture qu'il avait fait porter au chien.

— Tu vas devenir comme un gras Espagnol. Qu'est-ce qu'ils t'ont fait bouffer ?

Tom se laissa glisser au bas du lit et le fixa, un peu haletant.

— Tu aurais besoin de marcher, malheureusement il est tard et j'ai la flemme.

Il se sentait soudain de mauvaise humeur, le cerveau vide. Il se regarda dans la glace et il lui parut qu'il n'était plus rien, sans aucun lien ni repère avec le temps. Comme un satellite désorbité, perdu dans l'espace.

— Demain, on part...

Il n'était plus question d'aller à Lisbonne, les journaux avaient reproduit les déclarations qu'il avait faites à la police.

Lisbonne ou ailleurs... Errer à travers l'Espagne, passer en Afrique, continuer ainsi jusqu'au manque d'argent, évidemment, la panne sèche, qui l'obligerait bien à s'arrêter un jour. Et alors...

Il glissa l'automatique sous son oreiller et se coucha. Il allait éteindre quand on frappa à la porte.

Tom avait dressé la tête mais il ne grondait pas. Yako se leva, prit l'automatique, se plaça le dos au mur, à côté de la porte, et demanda qui était là.

— Constance.

Yako enfila son pantalon, glissa l'automatique dans la poche et ouvrit. Elle était telle qu'il l'avait quittée, dans sa robe de jersey, aussi paisible et naturelle. Tom se leva et vint la flairer. Elle se baissa pour le caresser, sous la gueule, doucement, puis elle s'avança dans la pièce et se retourna pour regarder Yako, torse nu, qui refermait la porte.

Tom la suivait, appuyait sa tête contre sa cuisse. Elle s'accroupit et prit la tête du chien entre ses mains.

136

— Il est bien comme je l'imaginais.

Elle parlait tout bas. C'était comme si elle était venue uniquement pour cela, voir le chien. Comme en réponse à cette question elle ajouta, sans cesser de regarder le chien :

— Mais ça n'est pas uniquement pour lui que je suis venue. Tenez-vous tellement à aller à Lisbonne ?

Yako s'était arrêté à quelques pas de la porte, la main droite dans la poche de son pantalon. Il ne répondit pas. Constance leva les yeux :

— Demain, j'accompagne Dave à Malaga, j'irai peut-être jusqu'à Alicante. La solitude n'est pas bonne pour lui en ce moment. J'ai pensé qu'il serait peut-être bon que vous veniez avec nous. Bon pour lui, bon pour vous, ajouta-t-elle en se relevant.

— C'est lui qui vous l'a demandé ? fit Yako en ôtant la main de sa poche.

— Non, je viens de lui en parler, je crois que ça lui ferait un immense plaisir si nous faisions ce voyage tous les trois...

— Bon pour moi... ? questionna Yako, intrigué.

Constance haussa légèrement les épaules.

— Il me semble, je ne saurais pas dire pourquoi. Je ne cherche pas. Mais j'aimerais moi aussi, personnellement, que vous acceptiez.

— Pourquoi ?

— J'ignore ce qui s'est ébauché entre nous, ce soir, il me serait impossible de le classifier. Cela nous concerne tous les trois, je suppose, Dave y a sa part. J'aimerais que nous allions plus loin.

— Bien, répondit Yako. Il me semble que j'aimerais aussi...

Il sourit et ajouta :

— Après tout, pourquoi ne pas faire de temps à autre les choses que l'on aime ?

Elle approuva silencieusement et se dirigea vers la porte, aussi tranquillement que si elle eût été seule et chez elle.

XIV

On se serait cru déjà sur une mer africaine, d'un bleu profond, avec une houle longue qui venait de Gibraltar. Constance tenait la barre du petit cotre qui longeait les hautes falaises de rochers déchiquetés, encastrant de minuscules plages de sable noir.

Barney était allongé sur le roof, les yeux fermés, dans son éternel costume de ville. Torse nu, assis sur le bord du cockpit, la tête de Tom sur ses cuisses, Yako regardait la côte.

Ils étaient restés trois jours à Malaga, qu'ils avaient quitté la veille, relâchant pour la nuit à Torre del Mar. Il était 4 heures de l'après-midi et ils pensaient être à Almunecar dans la soirée.

Barney avait loué le bateau pour l'essayer, en versant une caution exorbitante. Le lendemain, il devait télégraphier à Malaga s'il était décidé à conclure l'affaire ; sinon ils ramèneraient le cotre à son port d'attache.

En pantalon de toile rouille retroussé aux chevilles, tee-shirt d'un bleu délavé, foulard noir autour de la tête, Constance gardait son cap malgré le vent irrégulier qui soufflait par petites rafales.

Yako ne pensait à rien. Après deux jours de mer

et de soleil, il retrouvait cette impression lénitive qu'il avait connue dans les collines. De sa vie, il n'était jamais monté sur un voilier, et cette expérience était peut-être la plus surprenante de toutes celles qu'il avait traversées. Plus insolite pour lui, par exemple, que les trois jours et trois nuits qu'il avait passés dans une cave bourrée de sarcophages d'un musée de Washington, alors que tout le F.B.I. le recherchait.

Cela tenait à un ensemble, auquel le voilier, la mer, un rythme de vie ralenti, nonchalant, étaient évidemment pour quelque chose. Mais c'était surtout l'atmosphère qui régnait à bord, celle de gens « en dehors de la course », en dehors de toute forme de guerre, sinon celle de leurs soucis personnels, il en avait à présent la conviction.

« Ils » ne lui avaient proposé aucun marché, fait aucune offre, ni avance, même par allusion. Ils ne l'avaient même pas interrogé sur sa vie, paraissant simplement se contenter de sa compagnie, au fil des heures.

Ils étaient ces fameux « gens normaux », que l'on appelle « la masse » ou « le potentiel humain ». Ceux avec lesquels il avait perdu une fois pour toutes le contact le jour même de son entrée dans l'Armée. Cette foule que, depuis, il avait côtoyée, la considérant comme une sorte d'abstraction négative, l'utilisant parfois, croyant se fondre en elle sans jamais partager sa vie, ni même réellement l'approcher.

Constance leva les yeux vers le haut du mât et dit, pour la dixième fois, que c'était un bon bateau. Elle avait l'air de vouloir convaincre Barney, elle prenait parti pour ce bateau.

— Il est quand même petit, fit Barney sans lever les yeux. Si je réussis à y caser pour un mois de provisions de bière et de whisky, il va couler.

— Alors, achetez un tanker, répliqua Constance.

Rien d'autre que cela, des plaisanteries sans effort, des remarques sur la navigation, la nourriture, le paysage, des heures passées à rêver, sans un mot. Un peu une existence de milliardaires...

— Vous avez réellement l'intention d'aller aux Antilles ? demanda Yako.

— Plus loin encore, soupira Barney. Au cap Horn ou en enfer, ça dépendra. Pourquoi ne viendriez-vous pas avec moi, Henry ?

— De nous trois, je suis celui qui n'y connaît vraiment rien, répondit Yako en riant. Constance serait mieux qualifiée.

— Constance a son travail, elle est sur les rails... Nous deux...

— Nous, quoi ? fit Yako en tournant la tête.

Constance se penchait, car le bateau allait doubler un haut promontoire de roc qui s'avançait en éperon dans la mer. Barney s'étira :

— Vous m'avez dit que vous vouliez changer de peau. Vous avez l'étoffe d'un gentleman-vagabond, vous savez ? Qu'en pensez-vous, Constance ? J'achète le bateau si Henry vient avec moi.

— Ce serait peut-être bien pour lui, répondit Constance, distraitement. Je vais avoir besoin de vous deux...

Yako tourna les yeux vers elle et croisa son regard. Barney avait levé la tête :

— Oh, fit-il, il me semble qu'Henry préférerait partir avec Constance.

— Cessez vos plaisanteries idiotes, cria Constance. Le vent tourne, il faut amener le foc.

Le bateau se trouvait juste à la pointe du promontoire et l'avant se tournait doucement vers les rochers. Barney se redressa :

— Vous l'avez pris d'un peu trop près, peut-être ? fit-il calmement.

Il dénoua la drisse du foc. Yako avait couru à l'avant et il essayait d'amener la toile, dans laquelle le vent s'engouffrait.

— Pas comme ça ! cria Barney.

En deux bonds, il l'avait rejoint et s'était plaqué contre lui, au risque de le faire basculer à la mer. Bras levés, il essayait d'accrocher la voile, puis il s'affaissa de tout son poids sur Yako et glissa à plat ventre sur le pont, une tache rouge entre les deux omoplates.

En un éclair, Yako avait compris. Par réflexe, il se laissa tomber sur les avant-bras, à l'abri du roof. Il boula sur lui-même jusqu'à l'autre bord et se souleva pour jeter un coup d'œil dans la direction de Constance, prêt à se plaquer de nouveau.

Constance ne faisait rien d'autre que de tenir la barre, à laquelle elle paraissait cramponnée des deux mains. Yako entendit siffler une deuxième balle au-dessus de lui, pendant que Constance criait :

— Mais qu'est-ce que vous faites ?

— Baissez-vous, hurla Yako, lâchez la barre, on nous tire dessus.

Le son mat d'une troisième balle, qui avait dû percuter sur le mât. Un tir plongé, qui devait venir du haut du promontoire.

— Restez où vous êtes ! cria Yako. Ne vous approchez pas de moi, tenez le chien !

Il savait maintenant à qui les balles étaient destinées. Barney avait pris la première à sa place, sans doute déjà tirée alors qu'il surgissait à l'improviste devant lui.

Il essaya de ramper à tribord, derrière le roof. C'était une protection dérisoire. Une quatrième balle érafla le pont à dix centimètres de ses yeux. Le bateau était à une quarantaine de mètres du promontoire, et l'on n'entendait rien, aucune détonation. Yako connaissait ce genre de carabine, qui ne font pas plus de bruit que des armes de tirs forains. Viseur télescopique, redoutablement précise malgré les mouvements du bateau.

Il entendit la voix de Constance :

— Sautez à l'eau !

A l'abri du bateau, évidemment, hors de portée de l'angle de tir, qui devait être de 45 degrés. Il glissa le long de la coque, les pieds en avant, et se maintint par les mains accrochées au plat-bord.

Le vent avait molli mais gonflait toujours le foc, amené à moitié. Le bateau continuait de tourner lentement face au promontoire, et dans quelques instants Yako se trouverait à découvert.

Il entendit courir à l'intérieur du bateau, puis une sorte de claquement de bois, impossible à identifier. Trois, quatre secondes s'écoulèrent ; enfin le bateau parut hésiter et commença à virer dans le sens opposé.

Yako ne voyait rien de ce qui se passait au-dessus de lui. Tom aboyait, les aboiements semblaient venir de l'arrière, du cockpit. Puis une nouvelle fois la voix de Constance :

— Cramponnez-vous !

Et la pétarade brutale du moteur mis en marche.

Yako sentit soudain l'eau peser contre sa hanche, lui soulever les jambes en équerre, pendant qu'il s'agrippait de toutes ses forces au plat-bord.

Le bateau filait droit devant lui, parallèlement au promontoire, piquait doucement du nez vers le large.

*

Yako tenait la barre. La côte disparaissait à l'horizon, dans le flamboiement du soleil couchant. Ils avaient amené la grand-voile et le cotre marchait au moteur. A l'intérieur, visible par le panneau ouvert, le corps de Barney, allongé sur une couchette.

Au fond du cockpit, Tom, l'échine hérissée, le museau entre les pattes, ne cessait pas de gémir. Tom, que Constance avait eu la présence d'esprit d'attacher quand les deux hommes étaient partis vers l'avant.

Assise près de Yako, Constance lisait une carte, étalée sur ses genoux. Quand Yako lui avait demandé comment elle avait fait pour empêcher le bateau de continuer à tourner :

— C'était le foc qui le tournait vers la terre, avait-elle répondu. Il fallait continuer d'amener le foc. Je suis passée par l'intérieur. Il y a un panneau à l'avant. C'était très simple...

— Mais vous avez dû sortir du panneau pour tirer sur le foc.

— Jusqu'à la taille, évidemment.

— Vous saviez qu'on pouvait vous tirer dessus ? avait insisté Yako.

— Je ne sais pas. Il fallait bien le faire, n'est-ce pas ? Ce n'est qu'après que j'ai pensé au moteur...

Elle n'avait rien demandé et, par extraordinaire, elle demeurait, en se taisant, naturelle et simple. Elle n'avait cessé de s'occuper, comme elle l'aurait fait après un accident fortuit, par exemple un incendie ou un coup de mauvais temps. Elle avait aidé Yako à transporter Barney dans la cabine, et ils avaient alors fixé la barre à une écoute. Puis ils avaient descendu la voile et l'avaient soigneusement amarrée, ainsi que le foc. Elle avait approuvé Yako quand il avait dit qu'il fallait avant tout s'éloigner le plus possible de la côte.

Choisir une nouvelle direction, seulement quand le bateau ne serait plus visible de là-bas.

Puis elle avait déployé cette carte, qu'elle étudiait depuis trop longtemps. Elle paraissait maintenant attendre.

La houle se calmait au coucher du soleil.

Yako regardait Tom. « Ils » avaient réussi à l'identifier sur les photos des journaux espagnols, malgré sa transformation. Le K.G.B. forme des physionomistes plus efficaces que ceux des plus grands casinos, il aurait dû se le rappeler.

Ensuite, ses poursuivants n'avaient eu qu'à recommencer en Espagne le travail qu'ils avaient effectué en France et qui les avait alors menés aux collines. Travail facilité par le premier point de chute de Salamanque, probablement par l'identification de Barney et de la Volkswagen dont parlaient les journaux.

Ensuite... Pour retrouver Malaga, et surtout pour détecter le cotre, le suivre et surtout le devancer, en quelque sorte, l'attendre au bon endroit, au passage du promontoire, il avait fallu un troisième élément : le relevé radiogoniométrique.

Les émissions continuaient, ne cessaient de le trahir.

Quant au point précis d'où elles pouvaient partir, et qui paraissait coller à lui comme sa propre sueur, toutes les possibilités avaient été inventoriées à fond à Avignon. Et toutes éliminées, une à une. Parfaitement éliminées, sauf le chien.

Il ne restait plus que Tom. La véritable imprudence, peut-être la seule, avait été de conserver le chien, de ne pas tenir compte de la logique des soupçons qu'il avait portés sur lui.

Constance leva la tête :

— Almunecar... Nerja... Torre del Mar... nous n'aurons bientôt plus d'essence, alors, plutôt que de choisir au hasard, autant nous en remettre au vent.

La nuit tombait. Encore une fois, leurs regards se croisèrent et Constance ne détourna pas les yeux.

— Pourquoi ne me questionnez-vous pas ? murmura Yako.

— Je suppose que cela vous serait désagréable. Quand vous aurez envie de parler...

Elle jeta un coup d'œil dans la cabine et ajouta :

— Nous allons avoir des problèmes, dès que nous toucherons un port. Peut-être est-ce de ça qu'il faut parler.

Yako allait dire quelque chose, elle le devança d'un geste.

— Non, je n'ai pas été stupéfaite par ce qui est arrivé. Je m'attendais à quelque chose de ce genre.

Comme Yako ne répondait pas, elle s'assit en face de lui, sur le roof :

— Mon métier, ce que Dave aurait pu appeler déformation professionnelle. Et vous qui aviez l'air d'un homme qui va attirer la foudre. En moins romanesque, vous portez la marque des hommes traqués.

— Quelle marque ? demanda Yako sans bouger.

— Un ensemble de petits détails imperceptibles, ce serait trop long à expliquer, il faudrait faire un cours. Mais cela n'aurait pas été si clair pour moi s'il n'y avait eu de vous à moi une attirance spontanée. Je vous plais. Et vous me passionnez dans la mesure où vous êtes indéchiffrable. Je ne saurai jamais. Vous allez me mentir, et vous saurez que je ne vous croirai pas. J'ignore encore si vous pourriez me supprimer si votre sécurité était en jeu. Si je vous plais assez pour que vous ne le fassiez pas. Comme pour Tom...

— Tom ? souffla Yako.

— Vous avez peur de lui, et pourtant, vous le gardez avec vous. Vous l'aimez. C'est assez curieux parce que vous ne vous en rendez pas compte, mais c'est pour vous comme un premier amour d'adolescent.

La nuit tombait, un cargo passait entre eux et la côte, ses feux allumés. D'autres feux s'allumaient, épars sur la mer, minuscules, puis les premiers éclats d'un phare.

— Excusez-moi, dit doucement Yako, mais le moment ne me paraît pas choisi pour faire de la psychologie. Voulez-vous stopper le moteur ?

Elle obéit sans hésiter et reprit aussitôt sa place sur le roof.

— Qu'avez-vous l'intention de faire quand nous toucherons le prochain port ? reprit Yako.

— Je peux peut-être vous aider. Si nous ramenons le corps de Dave, nous serons obligés de déclarer sa mort. Nous serons questionnés, vous surtout. J'ignore qui cherche à vous supprimer, et pourquoi, mais j'ai l'impression que c'est une histoire que vous ne tenez pas à partager avec la police espagnole. Si nous disparaissons, la police nous recherchera, nous serons soupçonnés de meurtre...

Yako réfléchissait à toute vitesse en l'écoutant. Depuis le premier coup de feu, la conduite de Constance pouvait être dictée par la peur. Uniquement la peur du témoin gênant et conscient de l'être. Elle pouvait le trahir dès qu'ils auraient mis pied à terre, le dénoncer à la police dès qu'elle se sentirait en sécurité...

Le visage de Constance s'estompait dans les dernières clartés du crépuscule, elle était assise, les jambes ballantes, et elle aussi le regardait. Un instant, il se demanda si elle devinait ce qu'il pensait.

Il lui serait facile de l'abattre. Ensuite, approcher le bateau de la côte, le couler et gagner le rivage à la nage. Passer au Maroc, par Gibraltar, tout proche. De Tanger, gagner en avion, immédiatement, un quelconque Etat africain. Réalisable, avant même que la disparition du cotre soit constatée...

— Quel est le port le plus proche ? demanda-t-il.

— Salobrena ou Almunecar à peu près à la même distance, environ quinze miles.

— Quelle heure avez-vous ? Ma montre est arrêtée.

Elle sauta pour descendre dans la cabine et allumer.

— Huit heures moins le quart.

Elle allait remonter. Yako n'était pas sûr de son revolver, qui était resté trop longtemps immergé. Il avait toujours le poignard, lacé contre sa jambe.

Une clé anglaise était posée sur la banquette du cockpit, à portée de sa main. Il suffirait d'un geste rapide pour frapper Constance quand elle se baisserait pour franchir le panneau. Il savait que, s'il ne le faisait pas à présent, il ne le ferait plus jamais.

— Combien d'essence reste-t-il ? cria-t-il.

— A peu près une heure, de quoi faire une dizaine de miles.

Il était toujours assis à la barre, qu'il tenait sans raison. Le bateau roulait doucement, commençait à dériver. On n'entendait que le clapotis de l'eau contre la coque, et le pas de Constance qui réapparaissait, s'arrêtait pour respirer profondément, enfin s'asseyait à côté de lui.

Yako se racla la gorge :

— Almunecar. Il faudrait entrer dans le port sans être vus, vers deux heures du matin. Amarrer correctement le bateau et quitter la ville à pied...

Avant, bien avant, il y aurait autre chose à faire. Le tireur et ses coéquipiers devaient s'être déployés le long de la côte. Peut-être, à cette distance, leurs récepteurs percevaient-ils toujours les émissions. Il allait falloir s'éloigner encore au maximum, hors de portée, après avoir disposé le piège...

— Almunecar, répéta Constance, c'est à peu près ce que j'avais pensé. Gagner Motril pendant la nuit, il y a environ vingt kilomètres...

— Ensuite ?

— Je téléphonerai au propriétaire du bateau, pour lui dire que Barney a été obligé de rentrer précipitamment en Amérique...

— Non, coupa Yako. Je téléphonerai, moi, comme si j'étais Barney, Barney ivre. Je lui dirai que nous nous sommes disputés et que mes deux équipiers ont débarqué dans la nuit à Almunecar. Je lui dirai que je n'achète pas le bateau et je lui offrirai une belle indemnité pour le faire ramener à Malaga. Il la prendra sur la caution que Barney lui avait laissée. Et il me croira. Ensuite, je prendrai un car pour Malaga et je récupérerai la Volkswagen au garage. Je la détruirai dans la Sierra. La seule aide que je vous demande, c'est le silence. Si, plus tard, la police vous inquiète, vous raconterez tout ce qui s'est passé, en ajoutant que vous m'avez obéi sous la menace, que je vous ai terrorisée et qu'ensuite, quand tout a été fait, vous avez eu peur d'être soupçonnée du meurtre de Barney.

Constance garda le silence pendant quelques instants, puis elle dit sans regarder Yako :

— Dave avait un cancer du foie, inopérable. Tous ses amis savent qu'il lui restait à peine trois mois à vivre et qu'il avait l'intention d'en finir. Sa disparition n'étonnera personne.

— Je ne crois pas qu'il ait jamais eu l'intention d'en finir, murmura Yako. Il jouait à quelque chose, survivre le passionnait...

— Oui, Henry. Mais il a rencontré ici la plus belle mort qu'il ait jamais pu souhaiter. Dave était alcoolique au dernier degré, beaucoup de gens le tenaient pour fou. Sa disparition...

Elle se tut, secoua la tête. Yako regarda le sommet du mât qui se balançait dans le ciel encore clair. Les premières étoiles apparaissaient.

— Aucune disparition ne passe jamais inaperçue, dit-il. Et tout ce que vous pourriez inventer sonnera faux. Vous finirez par être interrogée, croyez-moi.

Et il faudra dire la vérité. A ce moment, j'aurai fait le nécessaire pour qu'on vous croie.

Il se tourna brusquement vers elle :

— Il serait beaucoup plus simple pour vous de me mentir et de tout raconter à la police dès que nous serons à Motril, par exemple.

— Oui, beaucoup plus simple, répondit-elle. Mais je ne pourrais le faire qu'en vous dénonçant, en quelque sorte.

— Alors ? poursuivit Yako. Pour accepter de courir de tels risques, il faut des mobiles puissants...

— Les mobiles puissants ne sont pas les mêmes pour tous. Ou je vous livre, ou je deviens votre complice, il n'y a pas d'autre choix possible. Et pas une seconde je n'ai eu l'intention de vous livrer. J'ai eu simplement peur que vous ne compreniez pas et que...

Yako se leva et lâcha la barre. Il se tourna vers Constance :

— C'est un peu comme si vous suiviez une fascinante chasse au renard, n'est-ce pas, et...

Elle posa sa main sur son bras :

— Ne dites pas ce que vous ne croyez pas vous-même.

Elle se leva à son tour, et ils entendirent Tom qui se dressait sur ses pattes. Sans échanger un mot, ils descendirent dans la cabine. Le corps de Barney oscillait sur la couchette au rythme du roulis un bras pendant dans le vide. Yako commença à fouiller ses vêtements. Il prit la clé de la Volkswagen. Constance secoua la tête :

— Ne faites pas ça. La voiture peut rester un mois au garage sans éveiller de soupçons. Les Espagnols ont l'habitude des fantaisies des étrangers, surtout des Américains. Vous n'y avez laissé aucune de vos affaires, moi non plus. En cherchant à la récupérer, vous courrez un risque inutile.

Elle avait raison, Yako remit la clé dans la poche de Barney, puis il se mit à chercher dans la cabine, enfin dans le poste avant, d'où il revint avec une gueuse de fonte et un rouleau de cordages, qu'il jeta dans le cockpit. Tom n'entrait pas dans la cabine. Depuis un moment, il avait une attitude étrange, il ne regardait plus son maître, il s'était installé à l'arrière, tout son corps comme affaissé, le museau pointé vers le large.

Yako refusa que Constance l'aide à porter le corps sur le pont.

— Restez dans la cabine.

Il amarra solidement la gueuse aux jambes de Barney et le poussa à l'eau.

— Voulez-vous éteindre la lumière ? Non, ne montez pas encore.

Cette fois aussi, Yako sut que s'il n'agissait pas immédiatement, il n'aurait jamais plus le courage de le faire. Il souleva la jambe de son pantalon, tira le poignard et l'enfonça dans le cou de Tom. Le chien n'avait pas fait un mouvement, il était resté immobile.

Yako le poussa à l'eau. Il porta les yeux sur le poignard qu'il tenait toujours à la main, le contempla stupidement, puis le lança à la mer. Quand il se retourna, il se trouva face à face avec Constance. Elle ne disait rien.

Il balbutia qu'il le fallait, que Tom représentait un danger, un très grand danger, que c'était comme si...

Elle l'interrompit doucement :

152

— Henry, je ne demande aucune explication. Je sais qu'il vous a fallu beaucoup de courage.

Il acquiesçait, en dodelinant de la tête, comme un petit vieux.

Puis il se ressaisit :

— Maintenant, il faut s'éloigner rapidement, au moteur. Vers le large, jusqu'à ce qu'il n'y ait plus d'essence. Croyez-vous qu'on pourra regagner la côte à la voile ?

— Oui, si la brise ne change pas, nous serons à Almunecar pour deux heures du matin, peut-être trois...

Constance remit le moteur en marche et Yako reprit la barre, pointant l'avant vers le large. Le bateau s'éloigna dans la nuit, tous ses feux éteints. Yako se retourna et regarda le sillage, cherchant malgré lui à retrouver l'endroit où il avait immergé le chien. On ne voyait plus rien que les éclats phosphorescents de la mer.

Le chien n'allait pas couler immédiatement. Le minuscule appareil qu'il devait porter à l'intérieur de son corps allait continuer à émettre tandis qu'il dériverait lentement entre deux eaux...

*

Du haut du promontoire, Koubiatz avait vu le bateau s'éloigner hors de portée de son arme. Un rapide examen à la jumelle lui avait confirmé que, pour la seconde fois, l'opération avait raté.

Cet éperon rocheux était désertique, éloigné de trois ou quatre cents mètres de la route qui suivait le littoral. Un des hommes de Koubiatz surveillait les alentours et aucune habitation n'était en vue. Il ne tenait pourtant pas à s'éterniser ici. Il avait eu la chance de pouvoir passer à l'action alors qu'aucun autre bateau ne se trouvait à proximité du cotre, et il savait qu'il ne faut pas tenter deux fois le diable.

Contrairement à ce que croyait Yako, le K.G.B. ne l'avait pas identifié sur la photo parue dans la presse espagnole, mais sur son nom : Henry Forstal.

Les services soviétiques ignoraient qui était l'homme qui l'accompagnait et dont l'article mentionnait aussi le nom : David Barney. On avait tendance à penser, toujours en toute logique, qu'il s'agissait probablement d'un représentant du C.I.A. auquel le fugitif aurait proposé des informations. Le K.G.B. ouvrait une enquête pour découvrir l'identité véritable de David Barney.

Mais le voyage et le comportement des deux hommes posaient un nouveau problème, qui ne paraissait pas pouvoir être résolu par extrapolation.

Par les moyens les plus banals, Koubiatz et son équipe avaient retrouvé facilement les traces des deux hommes à Salamanque. Une enquête discrète au Monterrey leur apprit que Yako et Barney avaient quitté l'hôtel accompagnés d'une Française, Constance Mirel. Ils surent par un chasseur polyglotte et obligeant, que le groupe, flanqué du chien jaune, était probablement parti pour Malaga dans l'intention de louer ou d'acheter un bateau.

Quand Koubiatz arriva à Malaga, le bateau était parti. Il ne lui fallut que quelques heures pour apprendre que ce bateau était un cotre de dix mètres nommé le *San Francisco*, qu'il était équipé d'un petit moteur, qu'il battait pavillon espagnol et que ses trois occupants avaient l'intention de longer la côte jusqu'à Almeria.

Le *San Francisco* avait été ensuite repéré à Torre del Mar, alors qu'il appareillait après avoir passé la nuit dans le petit port.

Koubiatz laissa un de ses hommes à Malaga, pour le cas où, pour une raison ou une autre, le *San Francisco* rebrousserait chemin et rallierait son port d'attache.

Une étude des cartes marines de la région lui permit de localiser l'endroit le plus favorable à l'action qu'il envisageait. Pour le reste, les émissions qu'il percevait sans discontinuer lui donnaient avec précision la route et la position du bateau.

Ayant posté un de ses hommes à Malaga, il en plaça un autre à Almunecar, sur la route probable suivie par le cotre. Ceci, dans le cas où un événement fortuit l'empêcherait, lui Koubiatz, de passer à l'action. Il estimait en effet que, si rien ne se passait, le *San Francisco* avait de fortes chances de mouiller pour la nuit à Almunecar...

A présent, toujours allongé dans l'excavation rocheuse d'où il avait exécuté son tir, Koubiatz voyait tout son plan démoli.

Il avait tout prévu, sauf l'éventualité de manquer sa cible. L'événement fortuit, ç'avait été l'homme qui avait couvert brusquement l'objectif, alors que la balle était déjà tirée.

La suite — le tir difficile, acharné, sur un gibier qui se savait découvert et qui se protégeait, puis sur la femme alors qu'elle avait surgi du panneau avant — Koubiatz se le reprochait comme une faute. S'il n'avait tiré qu'une seule fois, interrompant l'acion immédiatement après avoir touché l'Américain, peut-être le bateau aurait-il fini par regagner la côte à un moment ou un autre.

Alors qu'en continuant le feu, soulignant en quelque sorte ses intentions et sa position, il les obligeait à la fuite.

Koubiatz reposa ses jumelles, tira son mouchoir de sa poche et s'essuya les mains. Le cotre cinglait vers le large et le jour allait bientôt baisser. A quinze miles, les émissions se trouveraient hors de portée des émetteurs, et le contact serait rompu.

A présent, Koubiatz ne doutait plus de la complicité de l'homme et de la femme qui accompagnaient le fugitif. Le comportement de la femme venait de lui en donner la preuve.

Selon toute vraisemblance, le *San Francisco* allait gagner la pleine mer et filer dans une direction inconnue, peut-être l'Afrique. Quel que soit l'état de l'Américain, Koubiatz pensait que les deux autres ne seraient pas assez fous pour tenter à présent de rejoindre la côte espagnole.

Il se leva, empoigna la carabine et la lança à la mer. Puis il courut vers la route. En chemin, il rencontra « A » qui patrouillait. « A » toujours net et bien poncé, avec son air d'étudiant en vacances, qui maintenant l'interrogeait du regard, un sourire aimable esquissé au coin des lèvres.

Un coup d'œil sur le visage de Koubiatz suffit pour que le sourire s'évanouît. Sans autres commentaires, les deux hommes regagnèrent la voiture qu'ils avaient dissimulée à une vingtaine de mètres de la route.

— A Malaga, en vitesse, dit Koubiatz.

Il ramassa les cartes marines et les déploya sur ses genoux. Puis il alluma une cigarette. « A » remarqua que ses mains tremblaient légèrement. Il n'aurait pas voulu être à la place de son chef.

Ils arrivèrent à Malaga à sept heures et demie. Koubiatz ordonna à son compagnon de téléphoner à Almunecar pour donner à « C » le signal de fin d'alerte, lui enjoindre de rester à l'hôtel et d'y attendre de nouvelles instructions.

Ensuite, Koubiatz téléphona à l'aérodrome de Gibraltar, pour demander s'il était possible de louer un avion sans pilote. Une voix nasillarde lui demanda s'il possédait le brevet international. Oui, il le possédait ; ainsi que bien d'autres permis et brevets dans sa panoplie, tous interchangeables...

On lui demanda d'attendre. C'était sa dernière chance. Madrid trop éloigné ; quant aux autres villes espagnoles...

Une autre voix, mélodieuse, lui demanda pour quelle direction.

— Oran, répondit Koubiatz. Et de là, ensuite les Baléares, peut-être.

Oui, c'était possible. Brevet spécial pour vols de nuit ? Koubiatz soupira et s'épongea le front. S'il ne s'agissait que de ça, et de la question de prix, qu'on abordait maintenant...

Il retrouva « A » ; il n'y avait plus une seconde à perdre. Pas le temps d'avertir « B », le remplaçant de Vladimir qui était toujours à Malaga et devait surveiller le port.

Cent trente kilomètres de Malaga à Gibraltar. A tombeau ouvert. Ils y arrivèrent à dix heures. Chacun portant deux grenades dans ses poches. Deux grenades défensives, les plus meurtrières, et deux grenades incendiaires. Une mallette remplie d'effets, un porte-documents chargé de papiers d'affaires et de prospectus concernant les motoculteurs, pour la douane.

Ils décollèrent à 10 h 45, toutes formalités expédiées. Koubiatz, cette fois, décidé à en finir coûte que coûte, même s'il devait y laisser sa peau et celle de son compagnon. Deux échecs successifs, Moscou ne pardonnerait pas le dernier...

D'après ses estimations, le *San Francisco* devait à présent se trouver à cent cinquante kilomètres de la côte espagnole, à mi-chemin de la côte africaine, atterrage étranger le plus proche. Estimations basées sur la vitesse supposée du cotre naviguant *au moteur*, tel qu'il l'avait vu s'éloigner.

Koubiatz comptait sur les émissions pour lui permettre de retrouver le cotre en pleine nuit. Dès que le moment se montrerait favorable, il tenterait l'attaque en catastrophe, à la grenade. La météo était bonne, et il avait pour quatre heures d'essence.

S'il ne retrouvait pas le *San Francisco* dans le secteur estimé, il balaierait plus haut, sur une ligne Carthagène-Tenes.

XV

A 3 heures du matin, profitant d'une petite brise portante, le *San Francisco* entrait dans le port d'Almunecar et s'amarrait silencieusement à quai.

A la même heure, Koubiatz et son compagnon atterrissaient à l'aérodrome d'Oran et faisaient le plein de carburant. A 3 h 45, l'appareil décollait de nouveau et prenait la direction des Baléares. Le jour allait se lever dans une heure. Il ne s'agissait plus à présent d'attaquer le bateau, mais uniquement de le retrouver pour rétablir le contact, discrètement, et si possible s'assurer de sa direction.

Pendant ce temps, « C », Boris Leonidov, dormait d'un sommeil sans rêves dans une casa de huespedes d'Almunecar où il avait pris pension, conformément aux instructions reçues.

Après avoir traversé la petite ville endormie, maisons andalouses, cubes blancs qui se détachaient dans la nuit, Yako et Constance prenaient à pied la route de Motril. Yako, chargé de son sac ; Constance, de la simple mallette de voyage qu'elle avait emportée du Monterrey.

Le *San Francisco* restait vide, sans aucun témoignage de ce qui s'y était passé, les impacts de balles sur le roof et le pont soigneusement colmatés et maquillés par Constance pendant le trajet de retour.

Première nuit d'octobre, encore chargée de toutes les torpeurs de l'été, et que la brise de mer ne parvenait pas à refraîchir. La route longeait la côte en escarpements brusques, surplombant la mer, dévalait en lacets serrés.

Ils ne parlaient pas. Au bout d'un moment, Constance avait ôté ses mocassins et elle marchait pieds nus, paraissant en éprouver un grand plaisir. Elle avançait légèrement, humant l'air, comme si ç'eût été une simple promenade.

La route était peu fréquentée à cette heure, à part quelques camions qui les avaient dépassés. Quand ils entendaient un bruit de moteur, ils se dissimulaient puis reprenaient leur marche.

Pendant les longues heures du retour à la voile, Yako avait pensé à Tom, au lien qui s'était formé entre eux depuis que le chien lui était apparu dans les collines — et peu importait qu'il eût été dressé, conditionné à cet effet — et à la façon dont il avait dû le tuer.

Tué comme un ennemi, parce qu'il avait été choisi, éduqué, pour être l'ennemi. Sans savoir, sans comprendre.

Et c'était le chien, le meurtre de ce chien, qui lui avait fait soudain apparaître, comme une révélation, que lui non plus n'avait pas choisi d'être ce qu'il était devenu. Qu'il avait été, en réalité, choisi, conditionné, parce qu'il présentait certaines aptitudes propres à ce métier. Que ces qualités avaient été étudiées à son insu et que le choix s'était porté sur lui alors qu'il était encore dans l'Armée ; peut-être même avant, pendant ses études. Puis on lui avait fait une « offre » qui n'était en réalité qu'un ordre. Enfin, vinrent les séances de dressage. Quelle différence entre l'homme et le chien ?

Une peut-être, c'est que l'homme, lui, croit être d'accord. Son dressage commence avant celui du chien.

Maintenant, sur cette route, il y avait la liberté. Plus fort que tout, instinctif, le sentiment d'être délivré d'un compagnon qui aurait porté la peste.

Ce fut après qu'ils eurent dépassé Salobrena, la route s'enfonçant alors dans les terres jusqu'à Motril, que Constance lui demanda ce qu'il avait l'intention de faire. Le jour commençait à poindre. Yako la regarda sans répondre. Les cheveux de Constance s'étaient dénoués et sous le hâle son visage se creusait de fatigue.

Lui-même commençait à sentir le poids du sac lui peser sur les reins et, à cet instant, il pensa à la longue marche de nuit dans le pays des collines, avec Tom qui lui aussi se retournait parfois comme s'il lui posait la même question.

— Je connais une petite île des Baléares, ajouta Constance. Il y a trois ans, j'y avais loué une petite maison au bord d'une calanque, à quinze kilomètres de la ville. Un coin complètement désert, en cette saison...

Il aurait voulu pouvoir lui répondre qu'il n'existe pas de coins complètement déserts. Que le danger, pour les hommes de sa sorte, était justement de se trouver nouveau venu quelque part, de s'arrêter. Alors, tous les regards convergent vers le nouveau venu, et les langues commencent à marcher. Même dans le quartier le plus surpeuplé d'une ville autant que dans l'endroit le plus retiré. Et cela finit toujours par se propager comme une rumeur imperceptible, comme des ondes radio, jusqu'au point inconnu où la rumeur sera interceptée, où elle éveillera l'attention de spécialistes qui n'ont d'autre activité que de collationner tous les bruits, les classifier, ordonner et les transmettre. Postés comme autrefois les guetteurs au sommet des tours.

— Il y a toujours pas mal d'étrangers, même en hiver, reprenait Constance d'un ton neutre. Des gens qui apparaissent, restent deux ou trois mois, repartent sans que personne ne s'en inquiète. Toute une colonie un peu en marge, anonyme, des artistes, des hippies, quelques fous, des ivrognes...

Elle rejeta ses cheveux en arrière et ajouta en riant :

— Un des rares coins du monde où personne ne s'occupe de personne. On peut y être ce qu'on veut, tout le monde s'en fout, même la police qui ne demande que la signature du visa après trois mois de séjour. Trois mois de tranquillité, nous pourrions même y passer pour mari et femme si nous le voulions. Mr Smith, peintre anglais, et sa femme belge ou française, ou suisse... Presque tout le monde est peintre ou écrivain, là-bas, mais personne ne touche une plume ou un pinceau, c'est très commode. C'est un endroit où nous pourrions vraiment être comme tout le monde...

Ils se tenaient l'un en face de l'autre sur cette route, lui clignant des yeux en pleine lumière, le visage buriné plus profondément par la fatigue, hâlé, avec ses cheveux qui commençaient à se tordre en boucles sur le cou, et les courroies du sac qui écartaient les bords du blouson sur son torse nu.

Elle lui souriait. Il voulut la questionner sur son travail à Paris, et lui demander pourquoi elle acceptait de perdre trois mois avec lui. Mais il se tut.

Il se tut parce que cela n'avait plus d'importance, même si elle s'attendait que le terme de cette expérience n'échoie bien avant ce délai de trois mois. Il n'avait plus envie de savoir.

L'impression de liberté qu'il avait eue pendant la nuit se ramenait à un tout petit segment de liberté. Et cela, il l'avait toujours su, c'était l'essentiel. Ce qui importait, pour lui comme pour Barney, c'était de tenir jusqu'au bout.

D'un coup de reins, il rajusta la courroie gauche de son sac, qui lui sciait l'épaule, et il demanda le nom de l'île.

— Ibiza.

Ils reprirent leur marche. Il venait de découvrir qu'après ces dernières semaines, il ne pourrait plus repartir seul. Il y avait eu Tom, puis Barney, enfin Constance. Il préférait courir le risque d'en finir vite, mais avec Constance, que de durer indéfiniment, seul.

Quant aux risques qu'elle pouvait courir en restant à ses côtés, il jugeait inutile de lui en parler. Elle devait à présent savoir à quoi s'en tenir.

*

A 10 heures du matin, après un copieux petit déjeuner, Boris baguenauda un peu dans la ville d'Almunecar, jouissant du bon soleil espagnol, puis il se dirigea vers le port, l'esprit oisif, une cigarette au coin des lèvres.

L'attention soudain éveillée par un cotre qui se frottait doucement au quai, et le nom de ce cotre inscrit en bleu sur le tableau arrière : *San Francisco.*

Boris avait de bons réflexes. Il fit demi-tour sans se presser et contourna le bassin pour observer le bateau. Au bout d'un quart d'heure, il dut se convaincre que le *San Francisco* était bien vide et, selon toute vraisemblance, abandonné par ses occupants.

Boris ne savait pas où joindre Koubiatz. Il avait reçu l'ordre d'attendre de nouvelles instructions sans bouger d'Almunecar. Il était donc hiérarchiquement couvert. Ce qui avait pu se passer ne le regardait pas et d'ailleurs par cette douce matinée, il avait tendance à s'en foutre comme d'une guigne.

Il continua donc à attendre de nouvelles instructions.

A la même heure, Yako et Constance somnolaient dans le car qui les conduisait à Almeria. A peine assise, elle avait passé tout naturellement son bras sous le sien, et elle s'était endormie, la joue sur son épaule. Ses cheveux avaient la même odeur que la voile du bateau, comme s'ils s'étaient imprégnés de la mer.

De Motril, Yako avait téléphoné à Malaga, au propriétaire du *San Francisco*, qui parlait anglais avec une emphase théâtrale et n'avait pas paru douter une seconde qu'il s'adressait à son client américain. Il avait surtout discuté argent.

Yako avait l'intention de brouiller la piste à Almeria en prenant au tout dernier moment un autre car jusqu'à Grenade, puis de là, le train de Valence.

*

Koubiatz et son compagnon avaient atterri à

8 heures à l'aérodrome de Majorque, en se demandant si le San Francisco avait coulé ou s'était volatilisé.

Après trois tasses de thé propres à dissiper les hallucinations d'une nuit de vol, Koubiatz se résigna à admettre qu'il avait été joué par la plus vieille tactique du monde.

Pris d'inspiration, il téléphona à Malaga. « B » était à son hôtel. Il avait veillé ponctuellement au port et dans les alentours jusqu'à 4 heures du matin et il prenait un peu de repos. Rien à signaler. Koubiatz lui ordonna de filer au port sur-le-champ et de rentrer ensuite à son hôtel pour y attendre un nouvel appel.

Puis il essaya de téléphoner à Almunecar, mais ne put obtenir la communication. A 9 heures et demie, il eut enfin la casa de huespedes où Boris était descendu. On lui apprit que « el señor Funk » était sorti, sans doute pour se promener.

Koubiatz laissa un message, demandant au « señor Funk » de l'appeler à Majorque dès qu'il rentrerait de promenade.

Il commanda délibérément du cognac, sous l'œil indifférent de « A » qui s'en tenait au thé. Beaucoup de cognac. Il savait qu'il n'aurait la force de reprendre les commandes et de continuer que s'il était saoul. Il commençait à haïr Yako. C'était la première fois qu'un sentiment se mêlait à l'exercice de ses fonctions. D'habitude, l'objectif demeurait pour lui aussi abstrait que pour un pilote de bombardier.

A 11 heures enfin, il entra en communication avec Boris, qui lui apprit d'une voix enjouée la présence du bateau de « leurs amis » dans le port d'Almunecar.

D'une voix aussi enjouée, Koubiatz lui suggéra d'essayer de les retrouver, après l'avoir averti par message déposé poste restante. S'il était impossible de les rejoindre, Boris devait attendre au port...

Comme toutes leurs conversations depuis le début de l'opération, cette communication se fit en langue allemande.

Il y avait près de trois heures de vol de Majorque à Malaga. L'estomac lesté de six tasses de thé et de huit verres de cognac, Koubiatz reprit les commandes. « A » mâchonnait un sandwich et observait à présent son chef avec intérêt.

L'avion atterrit à Malaga à 14 h 15. Il faisait chaud comme en plein été.

Koubiatz contacta « B » à son hôtel et lui dit de retourner sur le port afin de s'enquérir discrètement d'un voilier à louer. Opérer de manière à être mis en rapport avec le propriétaire du *San Francisco*, afin de savoir si le bateau serait bientôt libre. En clair : savoir s'il était averti du départ de ses locataires, comment il l'avait été, s'il demeurait en rapport avec eux, etc.

« A » reçut l'ordre de rester lui aussi à Malaga, pour tenter de retrouver la Volkswagen que les fugitifs avaient dû laisser dans cette ville avant d'embarquer sur le *San Francisco*. S'informer dans les garages.

A l'aérodrome, Koubiatz dut s'occuper des formalités avec Gibraltar, pour la reprise en charge de l'avion qu'il avait loué. Sa voiture était restée à Gibraltar, il dut emprunter celle de « B » pour foncer ensuite sur Almunecar.

Tout cela avait pris beaucoup de temps. Pas rasé, les yeux rouges d'insomnie, Koubiatz prit place au

volant et se força à manger un des sandwiches que
« A » lui avait achetés. Il jugea qu'il était en trop
mauvaise forme pour conduire vite et regretta de
ne pas avoir pris « A » avec lui pour le remplacer,
laissant la totalité de l'enquête à son coéquipier.

Grandes et petites, les choses regrettables commençaient à s'amonceler.

Il n'y avait que quatre-vingts kilomètres de Malaga à Almunecar. Koubiatz mit cependant une
heure et demie à les parcourir, dans un état second.
Il finissait par ne plus savoir s'il était en voiture ou
encore en avion.

A 17 h 30, il retrouva Boris sur le port, musar-
dant, l'air de s'ennuyer profondément.

Personne n'avait vu entrer le *San Francisco* dans
le port, ni ses occupants. Le bateau était là, voilà
tout. Aucune trace...

*

A 18 heures, Yako et Constance prirent à Grenade le train de Valence. Séparément et dans des
classes différentes. Le train mettait dix-sept heures
pour parcourir les six cents kilomètres qui séparent
les deux villes.

Ils arrivèrent à Valence le lendemain, jeudi 2
octobre, à 11 heures du matin. Par chance, l'unique
bateau hebdomadaire à destination d'Ibiza partait
dans la soirée.

Ils restèrent séparés pendant toute la journée.
Yako déjeuna et passa l'après-midi à somnoler dans
un cinéma.

Constance devait se rendre au siège de la « Trasmediterranea » pour y retenir deux secondes au nom de Mr et Mrs Smith.

Ils se retrouvèrent au port au dernier moment, 22 heures, alors que le bateau, la *Ciudad de Teruel*, allait lever sa passerelle. Constance avait fait teindre ses cheveux en châtain foncé et elle les portait répandus sur les épaules. Les fils gris qui lui donnaient cette apparence d'étrange maturité avaient disparu. Ses yeux étaient fardés, soulignés de brun, et elle avait l'air d'une jeune fille.

Elle portait un parka à capuchon, tenait un sac de marin qui traînait sur le sol, et une guitare sur l'épaule. C'était touchant, un peu puéril, surtout de la part d'une telle femme.

Dans la cohue de l'appareillage, le steward les conduisit à leur cabine, où ils s'enfermèrent aussitôt. Quand ils furent seuls, Yako éclata de rire, prit Constance dans ses bras et la serra contre lui. C'était venu spontanément, sans qu'il eût exactement conscience de ce qu'il faisait.

Elle ne le repoussait pas, elle avait posé sa main sur sa nuque et elle balançait le buste, comme si elle dansait. Ce fut lui qui se dégagea le premier, en la poussant doucement par les épaules. Il détournait les yeux, gêné de sentir le désir qui se mêlait au mouvement de tendresse ; c'était un sentiment nouveau, comme un besoin irrésistible d'être plus près d'elle.

Quand il releva la tête, elle souriait, et elle lui dit que parfois il avait l'air d'un homme qui découvre le monde.

— Ça ne va pas très bien avec l'homme traqué, répondit Yako.

— Si. Un solitaire qu'on aurait traqué jusqu'à ce qu'il retrouve sa harde, sa tribu...

Il s'était déjà demandé pour qui elle le prenait : un gangster pourchassé par une bande rivale ou par sa propre bande, objet de représailles, ou escroc, maître chanteur ou détenteur de secret ? Au fond, quoi qu'elle puisse penser, il n'y aurait jamais grande différence avec la vérité.

Elle ouvrit le sac et en tira un flacon et un paquet de coton. Pour lui faire plaisir, il la laissa lui décolorer les cheveux et la barbe. L'idée lui était venue qu'elle avait peut-être besoin de cela, de faire quelque chose, parce qu'elle pouvait ne pas être aussi calme qu'elle voulait le paraître.

Elle lui tendit une paire de lunettes à monture d'acier et à verres neutres, qu'elle avait achetées à Valence. Il les mit et il rit en se regardant dans la petite glace de la cabine, parce que cela lui donnait un peu l'air d'un professeur. Il la rassurait en prenant un ton enjoué, détendu, en répétant que c'était formidable.

Le bateau vibrait doucement au rythme de ses machines, une petite houle commençait à se faire sentir. A travers la porte, on entendait des voix espagnoles, saccadées, puis des silences soudains, rompus par des exclamations étouffées, voix de femmes anglaises, pas, chuchotements, rires, puis tout se tut.

Yako s'allongea sur la couchette du haut. Constance prit la guitare et commença à jouer, assise sur sa couchette, le front penché. Elle jouait en demi-teinte, une musique que Yako ne put arriver à reconnaître. Musique française d'autrefois, sans doute un rondeau populaire.

Il ferma les yeux. Il lui semblait qu'il y avait un temps infini qu'il n'avait pas entendu de vraie musique. L'avant-veille de son arrestation, il était allé au concert, à Londres, entendre un récital de piano. Il n'y avait que quelques semaines.

Quand elle eut fini, il lui demanda à mi-voix de jouer encore. La guitare était neuve, pas encore faite, mais la façon de jouer de Constance dépassait l'instrument.

Yako se réveilla le lendemain matin, sans pouvoir se rappeler quand il s'était endormi.

Constance était déjà levée. Debout devant la glace, elle lui tournait le dos. Elle se maquillait les yeux, attentive, à petits gestes précis. Immobile sur sa couchette, Yako la regardait, il ne l'avait jamais imaginée aussi féminine. A vrai dire, il n'avait jamais imaginé qu'une femme puisse être telle.

Il avait gardé son pantalon pour dormir. Sans bruit, il prit son revolver sous l'oreiller où il l'avait glissé en se couchant, et le remit dans sa poche. Il pensa qu'il lui faudrait nettoyer l'arme, qui était restée dans l'eau de mer et qui risquait de se rouiller.

Constance leva les yeux, l'aperçut dans la glace et lui sourit.

— Le bateau entre dans le port, dit-elle. Vous pouvez voir, par le hublot...

Le hublot de la couchette supérieure était masqué par un rideau. Yako ne le souleva pas, il n'était pas curieux de cette île. Cette nuit de sommeil le restituait à lui-même, parfaitement lucide ; il eût voulu questionner Constance sur elle, par exemple sur son enfance, les lieux où elle avait vécu, savoir si elle avait été mariée. Ce n'était pas non plus de la curiosité, mais simplement le besoin, à présent, de la situer, de lui donner une dimension nouvelle.

Il lui demanda seulement où elle avait appris à jouer de la guitare.

— A Paris, il y a longtemps. Je n'avais plus joué depuis des années. Vous n'avez pas envie de monter au bar, boire un café ?

Yako secoua la tête :

— Je préfère que nous restions ici jusqu'à ce que le bateau ait accosté.

Elle prit une brosse et commença à se brosser les cheveux :

— Vous pensez...

— Non, fit Yako. Je ne pense pas qu'ils aient embarqué sur ce bateau. Je ne pense pas non plus qu'ils m'attendent sur le quai. Je n'en suis pas encore à la psychose, ajouta-t-il en souriant.

Il s'étira et sauta sur le plancher :

— Mais ils sont plusieurs, très acharnés et très adroits. Alors je préfère mettre toutes les chances de notre côté, même...

Il se tut brusquement, car une idée venait de jaillir, tellement évidente qu'il ne comprenait pas comment il n'y avait pas encore pensé : si le K.G.B. avait retrouvé sa trace à Salamanque et suivi le fil conducteur jusqu'au *San Francisco*, Constance avait été identifiée elle aussi. Jusque-là, simplement signalée à Moscou au même titre que Barney, comme compagnons du fugitif.

Mais le comportement de la jeune femme pendant l'attaque du bateau avait été inévitablement observé par l'homme qui tirait du haut du promontoire. Cet homme avait vu la jeune femme le protéger et éloigner elle-même le bateau. Il avait vu Barney tomber et il savait que l'Américain était au moins blessé. Ensuite, il y avait eu la tactique du retour,

171

le piège du chien abandonné en mer, l'appareil continuant ses émissions, auxquelles les hommes du K.G.B. s'étaient peut-être laissés prendre. Enfin, le *San Francisco* abandonné à Almunecar, qu'ils allaient vraisemblablement retrouver avant longtemps. Vide, sans trace du blessé.

L'équipe de chasse avait envoyé son rapport à Moscou, relatant l'attaque manquée et les événements qui avaient suivi.

Pour Moscou, à présent, Constance était sa complice. Tout s'était passé comme si elle avait collaboré avec lui sciemment. Et ses véritables mobiles, Moscou les ignorait, n'en tiendrait jamais compte. Elle était maintenant fichée et recherchée au même titre que lui. Et le moins que Moscou puisse lui reprocher, était qu'elle en savait trop. Et cela suffisait...

Parce qu'il la regardait fixement, Constance laissa tomber son bras et avança légèrement la tête, avec un sourire interrogatif.

Elle était contaminée, entrée dans le jeu sans le savoir, sans que lui-même ait pu s'y opposer. Les dés avaient été jetés, irréversibles, depuis plus de quarante-huit heures, depuis le premier coup de feu.

S'ils avaient été attaqués à terre, sans doute Constance se serait-elle enfuie, ou lui-même aurait-il pu décrocher, et peut-être les choses en seraient-elles restées là, en ce qui la concernait. Mais ils s'étaient trouvés embarqués sur le même bateau, et jamais cette image n'avait eu un sens plus réel.

Yako passa machinalement la main dans ses cheveux et répondit à l'interrogation muette de la jeune femme en lui faisant signe qu'il n'y avait rien. Il sourit à son tour et se retourna pour prendre son blouson, en achevant sa dernière phrase :

— Même si je parais un peu maniaque.

Il n'y avait plus rien à faire... Un nouveau rouage de la machine s'était mis en marche, avant même qu'il accepte que Constance reste avec lui. S'ils s'étaient séparés à Almunecar, cela n'aurait rien changé pour elle. S'il la quittait à présent, cela ne changerait rien.

Il était tout aussi inutile de l'avertir. Inutile de l'effrayer et de compliquer encore les choses, car cela ne servirait à rien qu'elle sache ; au contraire. Il était préférable qu'elle ait disparu avec lui, qu'elle se cache avec lui, pour le moment. Il serait au moins là pour la protéger...

Il s'assit sur la couchette de Constance, ferma les yeux et posa ses doigts sur ses tempes.

— Encore fatigué ? disait Constance.

Il secoua la tête et se força une nouvelle fois à sourire. Elle s'était accroupie devant lui et posait une main sur son genou :

— Encore angoissé, encore traqué ?

Il voulut rire :

— Je pensais à cette tasse de café, vous m'en avez donné envie.

— Vous savez, dit-elle, cela m'étonnerait que ces gens si acharnés puissent deviner que vous vous êtes réfugié sur une île si proche de la péninsule. En général, le gibier traqué s'enfuit sur de grandes distances surtout quand on lui a tiré dessus.

Elle savait cela aussi. Ce qu'elle ignorait, c'est que « ces gens » disposaient des moyens de tout un pays plus grand que l'Europe.

Il pensa alors qu'il pourrait contacter par lettre une ambassade soviétique, à Paris par exemple, en proposant de se rendre. Mais cela ne changerait rien pour elle, ne la sauverait pas. Le K.G.B. ne croirait jamais qu'elle ignorait la vérité. Aucun service de renseignements ne croirait ça, personne...

Avertir enfin Constance, pour qu'elle se mette sous la protection de la police espagnole, d'abord, puis de la police française ? A supposer que les services de police prennent cette histoire vraiment au sérieux, leur protection n'est ni absolue ni éternelle. De plus, il y avait la disparition de Barney, et la police ajouterait-elle foi à ce qu'elle considérerait comme une version d'un crime ? La version la plus rocambolesque, incroyable...

En quelques secondes, Yako passa en revue toutes les solutions, et il n'y en avait aucune. Même s'il se suicidait après avoir adressé un rapport des faits à Moscou, cela ne modifierait rien non plus. Il n'y avait rien à faire, rien d'autre que de continuer. Pour le moment.

Il posa sa main sur l'épaule de Constance et lui caressa doucement le cou, du bout du doigt. Il eut l'intuition que s'il lui avait dit la vérité, elle n'aurait pas accepté de le laisser.

Il se leva, l'entraînant du même mouvement, et l'embrassa légèrement sur les lèvres. Elle ne savait pas à quel point leurs sorts étaient liés, à présent.

XVI

9 octobre. 5 heures du matin. Yako allongea le bras et sa main rencontra l'épaule nue de Constance. La chambre était encore dans l'obscurité, seuls les interstices du volet commençaient à se détacher en minces traits d'un blanc laiteux. On entendait pépier les oiseaux et, plus assourdi, le ressac des vagues sur les galets.

Constance soupira légèrement et se tourna sur le côté. Elle avait le sommeil profond et silencieux d'un chat. Yako se glissa hors du lit, traversa la pièce à tâtons, puis la petite salle à manger et ouvrit sans bruit les portes-fenêtres.

Il s'avança sur la terrasse et s'étira en respirant profondément. L'air embaumait, des odeurs de figuiers et de pins. Le jour se levait sur un ciel bleu pâle, une dernière étoile attardée qui clignotait faiblement avant de disparaître, puis soudain à l'est, des montagnes à la mer, les premières lueurs de l'aurore.

Devant la terrasse, les pinèdes dévalaient jusqu'à la falaise, et la mer d'un bleu déjà plus profond que le ciel. Yako s'approcha du figuier, cueillit un fruit humide de rosée et le mangea lentement. Puis il fit le tour de la maison. Cubique et blanche comme une habitation maure, avec des murs épais et de minuscules fenêtres, elle n'avait pourtant rien d'une citadelle. Malgré ses volets, la porte-fenêtre aurait pu être fracturée par un enfant. Mais il s'y sentait en sécurité et, depuis trois nuits, il y dormait six heures d'affilée sans se réveiller en sursaut.

La maison était si perdue à flanc de montagne, presque invisible au milieu des pins, si isolée de toutes autres habitations, que cela lui rappelait un peu son séjour dans les collines. A la différence près, qu'ici il n'y avait plus rien pour le trahir.

Yako tira de l'eau du puits et plongea son visage dans le seau, puis il s'aspergea de la tête aux pieds.

Une matinée de plus, une journée de plus. Toutes les couleurs de l'île, verts et ocres, se révélaient et commençaient à flamboyer. Au loin, entre deux crêtes, on apercevait la citadelle d'Ibiza. Depuis qu'ils étaient ici, Yako n'avait jamais mis les pieds en ville.

Quand ils avaient débarqué de la *Ciudad de Teruel*, il était allé au bout de la jetée et avait attendu Constance qui s'était dirigée aussitôt vers une agence de location. Elle avait loué cette maison, au nom de Smith. Puis elle était revenue le chercher en taxi.

La ville était à douze kilomètres. Constance partait y faire les courses, tous les deux jours, sur une bicyclette qu'elle avait louée. Il fallait descendre un chemin rocailleux pour trouver, trois cents mètres plus bas, le tronçon de mauvaise route qui finissait là.

Pas de téléphone, pas même d'électricité. Une petite cuisine avec un réchaud à butane. Presque pas de meubles, une table, un lit. Mais des fleurs sauvages tout autour de la maison, des bois flottés que Constance avait trouvés dans les calanques, et dans lesquels ils plantaient des bougies.

Le premier soir, ils étaient descendus jusqu'à la falaise, qui surplombait la mer d'une centaine de mètres. Les feux d'un chalutier glissaient lentement dans l'ombre, on entendait le tac-tac du moteur. Ils avaient fait l'amour, sans phrases, aussi naturellement qu'ils avaient marché et s'étaient baignés ensemble.

Ils n'étaient presque jamais dans la maison, sauf aux heures de sommeil. Ils marchaient beaucoup, explorant les coins les plus sauvages, nageaient dans les calanques, sommeillaient au soleil. A part un ou deux pêcheurs perchés sur les rochers, ils n'avaient jamais aperçu personne.

— Ce sont les touristes qui marchent et qui campent, avait expliqué Constance. Maintenant, les touristes sont partis, et les étrangers qui restent à Ibiza ne bougent pas de la ville. De onze heures à une heure, ils se retrouvent plus ou moins pour picoler dans les bistrots de Vara de Rey, après ils vont déjeuner, ensuite ils organisent des parties, écoutent de la musique indienne, fument du haschich ou prennent le bateau de Formentera, la petite île que tu vois là-bas, pour un voyage-L.S.D. Formentera est devenu une sorte de capitale du L.S.D. Comme tu vois, c'est une vie assez contemplative...

Yako rentra dans la maison, s'agenouilla près du lit et posa sa main sur le front de Constance, qui ouvrit les yeux et l'attira contre elle.

Ils descendirent se baigner dans la calanque.

L'eau glacée au lever du jour, la nage éperdue jusqu'au récif, c'était devenu un rite. Ils couraient sur les galets ; le corps nu, dur et épanoui de Constance, ses longs cheveux ruisselants ; ils grimpaient dans les rochers et se laissaient tomber au soleil, à bout de souffle.

Puis ils rentrèrent à la maison, parce que, ce matin-là, Constance devait aller faire les courses en ville. Il la regarda s'éloigner sa bicyclette à la main, puis elle abordait la route et sautait en selle après s'être retournée en agitant le bras.

Chaque jour qui passait augmentait la sécurité. Si le K.G.B. avait dû retrouver leurs traces, « cela » se serait déjà passé. Or, l'élément essentiel sur lequel ils avaient basé leur chasse, les émissions, n'existait plus.

S'ils avaient retrouvé leurs traces à Motril, puis à Murcie, ils les perdraient à Grenade. Si, par extraordinaire, ils les retrouvaient à Grenade, tout s'évanouirait à Valence.

La silhouette de Constance disparaissait au tournant de la route.

Il savait que pour elle, ce n'était qu'une aventure. Il ne croyait plus qu'elle le suivait maintenant comme on suit une chasse au renard. Il y avait autre chose, mais pour elle, ce n'était qu'un segment de vie, qui ne se rattachait ni au passé ni à l'avenir.

Elle vivait une aventure passionnante pour une femme, peut-être, mais aussi pour une femme bien structurée par sa profession. Sans doute, au fond d'elle-même, le désir de le sauver et de le guérir, de réussir quelque chose.

La veille, elle lui avait dit de sa voix tranquille, qu'il serait peut-être bon pour lui de faire l'expérience du L.S.D.

— Tu en as pris, toi ? avait demandé Yako.

— Oui. La première fois, par expérience professionnelle. Ensuite, par expérience personnelle.

— Souvent ?

— Très rarement. Je m'en suis trouvée bien, avait-elle ajouté.

— Qu'est-ce que cela t'a apporté ?

— Une vue très objective de moi-même, plus que tout ce que j'avais appris par mon métier. Si tu veux, une sorte d'état de schizophrénie, mais en gardant conscience du dédoublement.

— Peut-être grâce à tout ce que tu avais appris, avait objecté Yako.

— Peut-être... D'ailleurs les effets ne sont pas les mêmes pour tout le monde. Pour certains, l'expérience est épouvantable. Le L.S.D. intensifie l'état dans lequel on est. Il ne faudrait pas que tu en prennes maintenant, par exemple. Plus tard, quand tu seras tout à fait calme, nous le ferons ensemble...

« Quand tu seras tout à fait calme... »

Comme lorsqu'elle avait dit « Parfois, tu as l'air de découvrir le monde... » Elle ne croyait sans doute plus beaucoup au danger. Elle pensait le guérir de lui-même, et cela allait encore beaucoup plus loin peut-être : comme si elle lui révélait, lui donnait la vie.

Après, elle partirait. A sa manière. Un jour, elle partirait en ville et elle ne rentrerait pas. Elle croyait cela. Elle retournerait à Paris, retrouverait son travail, ses amis, tout ce qui l'attendait. Elle croyait...

Elle ignorait qu'elle était à présent mariée, plus étroitement que par n'importe quel sacrement. Un mariage de condamnés à mort.

Il rentra dans la maison et s'étendit sur le lit.

Il prit son revolver, vida le barillet et tira à vide, machinalement. Le deuxième jour, il avait demandé à Constance de lui apporter de la graisse d'armes, et il avait soigneusement nettoyé le revolver, changé les balles. Pourtant, il ne s'attendait plus à être attaqué ici.

*

Constance rentra à midi. Elle apportait des fruits et du poisson, des journaux espagnols et le dernier *New York Herald.* Pas plus dans ce dernier que dans les autres, remarqua-t-elle, on ne parlait encore de la disparition de Barney.

— Cela ne date que de neuf jours, dit Yako.

Elle était éclatante, bronzée, et ses yeux magnifiques qui saisissaient, captaient dans leur douceur, ses yeux toujours graves, même quand elle riait.

— As-tu pensé qu'on ne retrouvera jamais son corps, dit-elle. Et ce n'est pas le type qui l'a tué qui ira témoigner. Il n'y a eu aucun témoin.

Il le savait. S'il y avait eu un témoin, le *San Francisco* aurait été rejoint par un hélicoptère de la police dans les heures suivantes, ou par une vedette de Malaga.

— Si on nous interroge plus tard, reprit Constance, nous nous en tiendrons à la version que tu as donnée par téléphone au propriétaire du bateau. Que BARNEY a donnée. Il était ivre, nous nous sommes disputés et nous nous sommes quittés à Almunecar.

Yako approuvait en souriant. Elle ignorait les enquêtes de police. Mais ça n'avait pas d'importance, cette affaire Barney, c'était dérisoire, à côté du reste...

— Est-ce que tu as pensé à autre chose ? ajoutait Constance. Ceux qui te cherchent savent que tu peux être soupçonné du meurtre de Barney. Et ils savent que tu le sais. Ils ne peuvent pas imaginer que tu acceptes de courir ce risque en restant en territoire espagnol.

Yako y avait déjà pensé, et c'était vrai. C'était aussi une des raisons pour lesquelles il ne s'attendait à rien tant qu'ils seraient ici. Cela retarderait simplement l'échéance.

*

10 octobre. 1 h 30 du matin.

Il n'eut pas le temps de faire un geste. Ce fut aussi soudain qu'une explosion, qui l'eût surpris en plein sommeil. Il y eut cet éclat brutal de lumière, et le corps qui tombait sur sa poitrine, le genou qui l'étouffait, ses poignets saisis, ramenés au-dessus de la tête. Le corps se détendait, l'enlaçait, immobilisant ses jambes ; simultanément, le menton s'enfonçait dans son cou, contre la carotide.

Il essaya de lutter, perdit son souffle sans pouvoir le reprendre. Il ferma les yeux ; des points lumineux montaient derrière ses paupières ; il sentait son cerveau se gonfler comme s'il allait lui faire éclater le crâne. Il s'immobilisa.

Il entendit gémir à côté de lui. Constance devait avoir été maîtrisée de la même façon. Nus tous les deux sur le lit dont ils avaient rejeté les draps avant de s'endormir. Il rouvrit les yeux, ébloui une seconde fois par le faisceau lumineux braqué sur lui. Une voix dit en russe :

— Les mains derrière la nuque tous les deux. Sans bouger.

Le faisceau oscilla et vint éclairer en biais un revolver armé d'un silencieux. L'homme qui avait maîtrisé Yako le lâcha aussi brusquement qu'il l'avait attaqué, il boula sur le côté, en bas du lit et se redressa aussitôt. Son coéquipier avait relâché Constance de la même façon, sans une seconde d'écart. Cela ressemblait à une chorégraphie parfaitement synchronisée.

— Derrière la nuque, répéta la voix.

Yako tourna la tête. Constance le regardait, la bouche ouverte comme si elle allait hurler. Elle avait posé machinalement ses mains sur ses seins. Yako lui dit, en anglais, de mettre ses mains derrière sa nuque et de ne plus bouger. Puis il dit, en russe :

— Continuez de parler russe si vous avez quelque chose à me dire. Elle n'est au courant de rien.

Ils devaient être trois, celui qui tenait la lampe et le revolver, et les deux autres. L'un d'eux glissait sa main sous les oreillers, fouillait enfin la table de chevet d'où il ramenait le Smith and Wesson et le glissait dans sa ceinture.

Le faisceau lumineux se déplaça, et Koubiatz donna l'ordre à Boris d'allumer les bougies, puis il tendit la lampe à « A » qui quitta la pièce pour fouiller la maison.

Les trois hommes étaient vêtus de combinaisons noires et armés comme l'avait été leur compagnon dans les collines. Koubiatz portait sur la poitrine un petit appareil photo équipé d'un flash, et Yako remarqua, accroché à sa ceinture, un appareil récepteur semblable à celui dont son premier agresseur s'était servi.

Koubiatz tendit son revolver à Boris, puis, posément, il prit un flash du couple étendu sur le lit.

— Qu'est-ce que cela signifie ? murmura Constance.

Sa voix n'avait pas changé, elle était seulement plus assourdie, comme voilée. Yako ne voulait pas la regarder, il gardait les yeux fixés sur Koubiatz. Constance transpirait, il sentait l'odeur un peu musquée de sa sueur qui devait lui engluer tout le corps, glisser goutte à goutte de ses aisselles.

Après le premier choc de surprise, il se sentait calme. Il n'y avait rien à faire, rien à tenter. C'était le dénouement, inéluctable. Il était peut-être préférable que cela se passe de cette façon.

— Debout.

Koubiatz s'adressait à Yako, qui se leva.

— Gardez les mains derrière la nuque.

Boris le poussa dans la salle à manger, face au mur. La porte de la chambre s'était refermée, l'épaisseur des murs l'empêchait d'entendre à présent autre chose qu'un chuchotement indistinct. L'autre homme devait être en train de fouiller la cuisine. La table n'était pas desservie, on sentait encore l'odeur du poisson que Constance avait préparé ce soir.

Les autres étaient entrés par la porte-fenêtre. Tout avait été d'une extrême facilité. Comment ils les avaient retrouvés jusqu'ici laissait Yako indifférent. Evidemment, l'appareil récepteur dont leur chef était équipé signifiait que les émissions avaient continué ; que Tom avait été tué pour rien...

Yako appuya son front contre le mur. Cela n'avait plus aucune importance, les questions étaient dérisoires. Il y avait Constance, seulement. Ce qui allait se passer d'inévitable. La mort n'est rien, si cela se passe vite, si l'on n'a pas le temps d'avoir peur, vraiment peur...

Il aurait dû avoir le courage de faire cela lui-même, comme il l'avait fait pour le chien. Sans qu'elle sache. Il y avait pensé cette nuit. Ils faisaient l'amour, et il avait pensé qu'il lui suffirait de tendre le bras pour prendre le revolver et en finir. Et son tour à lui, tout de suite après.

Maintenant, cela se prolongeait, aussi long qu'une cérémonie d'exécution capitale.

Il savait ce qui se passait dans la chambre. Ils avaient tout leur temps.

La porte s'ouvrit et Koubiatz appela. Yako se sentit saisi aux épaules et poussé dans la chambre. Constance était toujours sur le lit ; simplement, le drap avait été rabattu jusqu'à sa poitrine. Son visage s'était décomposé, vieilli en quelques minutes, elle avait l'air au bord de la folie.

Koubiatz se tenait debout, à quelques pas de la porte. Boris poussa Yako face au mur du fond, les deux mains posées à plat au-dessus de la tête.

— Encore un très court délai pour parler, fit Koubiatz en anglais. Je compte jusqu'à cinq...

Yako sentit le canon du revolver se poser sur sa nuque. Ils jouaient leur jeu, dans la logique de leur petit univers, où n'existent que ceux qui parlent et ceux qui se taisent.

Il avait dû demander à Constance pour qui elle travaillait, pourquoi « son Service » avait pris Yako en charge et contre quelles informations, etc...

Il eût été aussi inutile de leur exposer la vérité que de discuter avec un troupeau de rhinocéros.

Il y eut le bruit d'une chute, d'un corps qui se débattait, Constance qui criait :

— Il m'a dit qu'il te tuerait si je ne parlais pas, je lui ai dit tout ce que je savais...

Koubiatz commençait à compter à haute voix. Dans le petit cercle de leur logique, ils s'attendaient maintenant à ce qu'il se trahisse, lui, à ce qu'il crie à Constance de ne pas parler, même pour le sauver. Beaucoup se sont laissés prendre à ce dernier test, à ce coup par la bande.

Quand il y a quelque chose à dire.

Yako fut pris d'un rire nerveux. S'il y avait eu quelque chose à dire, ils auraient tout donné pour se sauver l'un l'autre. Comme il avait parlé, à Londres, pour sauver sa liberté, à lui. Maintenant, il ne restait plus rien pour elle...

Il sentit sa nuque se raidir malgré lui. Parfois, ce n'est qu'une comédie. Quelquefois, on tire quand même, pour provoquer l'effondrement du survivant. Cela déprend des cas.

— Parler de quoi ? criait Constance. Ecoutez...

Sa voix s'étouffait. Yako se retourna et frappa Koubiatz de toutes ses forces. Koubiatz se reculait, ne tirait pas. « A » saisissait le bras de Yako et l'étendait au sol d'une simple torsion. Impassible, il le maintenait par la même prise, les yeux maintenant fixés sur Koubiatz, qui essuyait le sang qui coulait de sa lèvre.

Boris avait plaqué sa large main sur la bouche de Constance et il la maintenait sur le lit.

— Pas la bouche, remarqua posément Koubiatz. Ce que vous faites est idiot. Laissez-la parler.

Il s'exprimait comme il eût commenté un exercice, approuvait quand Boris se contentait de maintenir Constance par les épaules, son autre bras pesant en travers des cuisses. Sans lâcher Yako, « A » eut un petit rire amusé et porta les yeux sur son camarade.

Constance renversa la tête et se mit à hurler. Koubiatz soupira, prit quelque chose dans sa poche et le jeta sur le lit. Boris déchira avec ses dents une large bande de sparadrap et tenta de bâillonner la femme. Impatienté, Koubiatz jeta un coup d'œil à sa montre, lança brièvement « Ne la frappez pas » et se dirigea vers le lit. Il se pencha :

— Comme ceci...

Deux doigts à la naissance des maxillaires, pour les refermer.

— Difficile en la maintenant en même temps, soufflait Boris.

Le sparadrap masquait tout le bas du visage de Constance. Sa tête penchait sur le côté, les cheveux répandus sur les yeux.

— Maintenant, emmenez-le, dit Koubiatz.

Et il fit signe à « A » de relever Yako.

Ils laissèrent Constance ramasser ses effets avant de suivre Boris. Quand ils furent sortis, Koubiatz s'assit sur le lit et demanda à Yako ce qu'était devenu l'Américain qui les accompagnait.

— Tué à ma place, répondit Yako. Nous l'avons immergé, elle a dû vous le dire.

Koubiatz contemplait d'un air absent le bout de ses espadrilles. Il releva la tête et dévisagea Yako avec curiosité :

— Je crois cela. Mais pour le reste, je ne comprends pas votre obstination à vous taire. Vous avez déjà trahi une fois, les vôtres et votre pays. A

186

présent, vous refusez héroïquement de nous informer sur l'activité d'étrangers. C'est pour sauver cette femme ?

— Tout ce qu'elle a pu vous dire est vrai, répondit Yako. Ils se sont trouvés avec moi fortuitement, l'Américain et elle. De simples touristes.

Koubiatz échangea un sourire amusé avec « A » qui s'était posté le dos au mur, à la place que Yako avait occupée.

— Vous auriez pu imaginer une explication un peu plus vraisemblable. Vous avez pourtant eu le temps..

Yako haussa les épaules :

— Je ne cherche pas à vous convaincre.

— Vous devez être assez intelligent pour comprendre que si vous cherchez à la sauver de cette façon, vous faites erreur, reprit Koubiatz.

Il se leva et demanda à Yako de lui donner de quoi écrire. Yako lui montra la tablette de la table de chevet où Constance rangeait le bloc et le stylo dont elle se servait pour écrire ce qu'elle devait acheter en ville.

Koubiatz lança le bloc sur le lit et fit signe à Yako de s'asseoir :

— Nous n'avons plus beaucoup de temps, fit-il en regardant sa montre une fois de plus. De toute façon, j'ai ordre d'escorter cette femme jusqu'en Union Soviétique, pour qu'elle y soit interrogée...

Yako se laissa tomber sur le lit. Il comprenait à présent la lenteur de cette opération, et c'était pire que tout ce qu'il avait pu imaginer. Constance au secret, dans les locaux du K.G.B. Des jours et des jours d'interrogatoires, les traitements spéciaux, les drogues, pour aboutir, beaucoup plus tard, à l'inévitable élimination physique, comme d'un objet inutile.

Ils étaient venus par mer, vraisemblablement en vedette, amarrée tout près d'ici, peut-être dans la calanque même où Constance et lui s'étaient baignés ce matin. On allait l'emmener, elle. L'enlèvement classique : un cargo soviétique qui s'était dérouté et attendait hors des eaux territoriales...

— Vous pouvez l'épargner, dans une certaine mesure, reprit Koubiatz. Prenez ce bloc et écrivez, en anglais : « A la suite d'une querelle, j'ai tué, dans la soirée du 6 octobre, Constance Mirel, en la précipitant du haut de la falaise. Je me donne la mort volontairement. » Signez : « Henry Forstal. »

Constance était française, sa disparition risquait de provoquer une enquête minutieuse et des complications. Moscou éliminait adroitement ce risque, par un coup double.

— Si je refuse ? fit Yako.

— Je suis mandaté par Moscou pour vous garantir sa survie, murmura Koubiatz. Même si l'enquête fait ressortir sa culpabilité. Si vous refusez, cette garantie tombera.

C'était encore une fois le vieux chantage, une variante de celui qui avait orienté les procès d'autrefois. La méthode sûre, éprouvée.

La parole douteuse, que les morts ne sont jamais revenus contester. La survie, cela signifiait pour Constance l'emprisonnement à vie, sa personnalité annihilée. Il ne pouvait être question pour eux de la remettre en liberté, même innocente.

— Je refuse, dit Yako.

Koubiatz posa son pistolet sur le sol, entre ses pieds. Il haussa les épaules, ramassa le bloc et le stylo :

188

— La police ne trouvera ici aucun autre spécimen de votre écriture...

« A » dégagea son revolver de sa ceinture, fit un pas vers Yako et s'immobilisa, car un coup de feu venait de retentir dans la maison, suivi d'une autre explosion, assourdissante. Pensant qu'on venait d'abattre Constance, Yako se jeta sur Koubiatz. « A » avait fait volte-face vers la porte. Des bruits de pas. « A » se mit à tirer à travers la porte. Derrière lui, le volet de la chambre s'ouvrit et un visage grotesque apparut dans le cadre de la petite fenêtre. La tête d'une sorte de guignol ahuri, coiffé du bicorne de la garde civile, avec le canon d'un fusil tenu comme un bâton. Le bâton se pointa vers le dos de « A », le vacarme emplit la pièce et « A » s'écroula en travers de la porte, comme s'il avait été projeté.

Yako et Koubiatz avaient roulé de l'autre côté du lit. On essayait de pousser la porte, coincée par le corps de « A », on gueulait en espagnol. Le garde entrait par la fenêtre, et invectivait. Enfin la porte s'entrouvrit et un type en civil, chauve, se glissa dans la pièce en brandissant un revolver.

Yako continuait de marteler le crâne de Koubiatz contre le carrelage. Le garde le ceintura, le força à se relever. D'autres hommes entraient dans la chambre, des civils et des uniformes, tout le monde parlait, s'exclamait, toussait.

Yako se dégagea, enjamba dans le couloir le corps d'un garde tombé à plat ventre dans une flaque de sang. Dans la salle à manger, éclairée par une lampe à accus, deux hommes se penchaient sur Constance. Elle était assise sur une chaise, entièrement habillée, la bouche gonflée par le sparadrap qu'on lui avait enlevé. Yako s'aperçut qu'elle essayait de se lever et que les deux hommes l'en empêchaient maladroitement.

Quand elle vit Yako, son visage se transforma et les deux hommes se retournèrent.

Elle se leva sans dire un mot. Elle s'approcha de lui comme s'ils se fussent soudain trouvés seuls. Elle s'arrêta à quelques pas de lui et s'immobilisa, et il n'y eut plus que ce regard qui plongeait en lui, qui l'enveloppait, sans qu'ils eussent besoin de faire un geste.

Il y avait le cadavre de Boris devant la porte-fenêtre et un autre corps étendu sur la terrasse. Les Espagnols se taisaient, deux autres policiers étaient entrés en silence. Yako vit les lèvres de Constance se détendre, elle lui souriait, puis elle dit en anglais, très vite :

— Ils ont été prévenus par téléphone que la maison était attaquée par des gangsters. Ils m'ont demandé si j'avais été violée...

Un des policiers s'avança vers Yako et lui posa sur les épaules, d'un geste de grande courtoisie, le peignoir de bain de Constance, qui fut prise d'un rire nerveux, bégaya « Où ont-ils été pêcher ça... » et les larmes se mirent à couler sur ses joues, elle avança les mains comme si elle perdait l'équilibre, s'agrippa au peignoir, l'attira à elle.

Deux des gardes traversaient la pièce, soutenant Koubiatz, le crâne dodelinant, maculé de sang.

L'homme chauve en civil adressa la parole à Yako, en espagnol. Constance lui répondit en secouant la tête, cherchant ses mots. Puis, à une autre question, elle répondit en français :

— Non, il ne parle pas français non plus, seulement anglais. Ces hommes sont entrés dans la maison pendant que nous dormions, ils croyaient que nous avions de l'argent, des bijoux, ils nous ont menacés.

L'inspecteur fronçait les sourcils, approuvait, zézayait :

— Maison, très isolée. Bien pour vous, que nous sommes prévenus...

— Qui les a prévenus ? demanda Yako.

Constance traduisit. Le policier leva les épaules :

— Coup de téléphone, d'un bar d'Ibiza. On va chercher.

Il hésitait, bredouillait, reprenait enfin en espagnol, que Constance traduisait à Yako :

— Il demande si nous ne préférons pas passer le restant de la nuit à l'hôtel, à Ibiza. Ou bien il propose de laisser une garde ici jusqu'à demain.

— Dis-lui que non, qu'il n'y a certainement plus rien à craindre.

— Il faudra que nous nous présentions au commissariat demain à 9 heures, il y aura un interprète pour enregistrer nos dépositions.

On enlevait les corps, et les voix rauques, les martèlements de pas reprenaient. On se demandait comment ces hommes pouvaient être capables de tant de bruit et de si complets silences.

Ils avaient dû monter par le chemin avec des précautions de contrebandiers. S'il n'y avait pas eu ce chemin qui les avait obligés au silence, si la route avait continué jusqu'ici, peut-être eussent-ils avancé leurs voitures, et tout eût tourné différemment.

Pourtant, aucun ronronnement de moteur n'avait été perçu de la maison. Yako se rappela que le tronçon de route descendait légèrement jusqu'au chemin, ce qui obligeait Constance à peser sur les pédales quand elle partait en ville. Une pente suffisante pour qu'une voiture se laisse glisser, moteur éteint.

Le coup de téléphone, l'inclinaison de la route, l'habileté tactique de la police, et surtout le fait que les autres se croyaient en sécurité, cela avait fait bien des éléments de chance. Cette chance qui se montre toujours, comme pour narguer, lorsqu'il n'y a pas d'espoir ; qui n'apporte rien, ne résout rien...

Car rien n'était changé, la situation restait la même qu'avant cette attaque manquée.

Paradoxalement, l'arrestation de Koubiatz ne posait aucun problème. Yako savait que, même s'il ne trouvait pas le moyen de se supprimer, son compatriote se tairait obstinément.

— Demande-lui comment ils sont venus, si on a retrouvé leur voiture, demanda Yako.

La police avait été avertie que les gangsters opéraient avec un canot à moteur. Une autre escouade était en train de fouiller la côte, en liaison avec la vedette de la police à Ibiza. Mais, ajouta le policier, le canot avait dû prendre le large dès les premiers coups de feu.

Il se détendait, devenait volubile, pérorait un peu devant ses collègues. Au sujet du coup de téléphone anonyme, par exemple, il avait son idée : pour être si détaillé, il ne pouvait émaner que d'un complice qui avait donné ses camarades.

Ils finissaient par en oublier les principaux intéressés et se réjouissaient de leur victoire. Une aventure revigorante, qui devait leur rappeler le bon vieux temps du trafic sur Tanger, vedettes rapides et mitrailleuses, alors que les Baléares servaient de relais.

On sentait qu'ils allaient arroser ça entre eux et faire l'éloge de leurs morts.

*

Il était 3 heures du matin. Yako et Constance s'étaient assis dans la pinède, une dizaine de mètres au-dessus de la maison. Yako parlait à voix basse, il lui disait tout, sans rien omettre, même le danger qui continuerait à peser sur elle.

Une couverture sur les épaules, les bras croisés sur ses genoux repliés, Constance l'écoutait sans l'interrompre. Depuis un moment elle avait posé son front sur ses poignets, on eût pu croire qu'elle dormait.

Yako s'interrompit au milieu d'un mot, et Constance leva la tête. Il lui fit signe de ne pas bouger. Il venait d'entendre craquer des branches, au-dessus d'eux. Cela se reproduisait à présent, des froissements de branches et un pas, étouffé par les aiguilles de pins, mais sans précautions, comme si l'homme ne cherchait pas exagérément à dissimuler sa présence. Yako étendait le bras pour forcer Constance à s'allonger sur le sol, mais il n'eut pas le temps d'achever son geste.

On le hélait doucement, par son nom : « Mr Forstal... » Une voix anglaise, un peu apprêtée. Yako se retourna. Le bruit se rapprochait, il distinguait maintenant une silhouette entre les arbres, une silhouette qui s'avançait bras levés très haut, pendant que la voix reprenait : « Ne me tirez pas dessus, nous sommes de vieux amis... »

La voix ne lui était pas inconnue et, malgré la

pénombre, cette silhouette dégingandée, élégante, lui rappelait quelque chose.

— Je pensais vous trouver chez vous, mais les voix, même chuchotées, portent loin dans la nuit, et la vôtre m'a guidé...

« To meet you at home... » du ton dont on échange ce genre de phrase dans le cadre d'un club londonien. Yako reconnut l'homme au costume prince-de-Galles, ce « vieil ami » d'un soir d'orage, vêtu cette nuit de blue-jeans et d'un chandail à col roulé.

— Madame Mirel, j'ai eu vraiment très peur pour vous. Mais je pense qu'à présent vous ne courez plus aucun danger...

Il ne s'approcha pas d'eux, mais s'adossa au tronc d'un pin, dans l'ombre. Yako l'avait suivi des yeux, sans bouger.

— Pardonnez-moi d'arriver un peu comme Robin Hood, mais je suis installé là-haut depuis hier, dans les pins. Je n'ai pas pu faire en sorte que la police intervienne plus tôt.

Yako allait parler, il l'interrompit d'un geste :

— Je vous en prie, ne m'interrompez pas, il faut que cette affaire soit réglée avant le jour. Comment je me suis trouvé ici à temps est un détail que je vous expliquerai plus tard, à vous, Forstal. Madame Mirel a appris cette nuit beaucoup de choses ; je suppose qu'elle connaît exactement sa situation.

— Henry m'a tout expliqué, murmura Constance. Au moment où vous êtes arrivé, j'allais lui proposer de partir avec lui, de continuer ensemble...

Il y eut un silence, puis ils entendirent l'homme toussoter :

— Je comprends, fit-il d'un autre ton. Je ne vous

194

cache pas, madame Mirel, que si je suis intervenu, c'est à cause de vous, pour vous seule, parce que vous étiez mêlée malgré vous à une affaire dont je porte une certaine part de responsabilité. S'il n'existait pas une solution pour vous sauver définitivement, mon intervention eût été inutile.

— J'ai envisagé toutes les solutions, dit Yako. La protection que vous pourrez lui offrir...

— Il ne s'agit pas de protection. C'est votre métier, Forstal, la déformation professionnelle, qui vous a empêché de voir cette solution. Et aussi le fait que vous étiez seul, alors qu'avec notre concours, le problème peut être résolu. Voilà de quelle façon : j'ai le moyen de vous faire quitter l'île cette nuit même, pour une destination que vous choisirez. Avant de partir, vous allez rédiger une confession complète en exposant toute l'affaire. Vous ne parlerez ni de mon intervention ni de quelques détails que je vous indiquerai. Vous terminerez cette confession en annonçant votre décision de vous suicider. Je vous aiderai à maquiller votre suicide ; dans une petite île entourée d'eau c'est assez facile et un corps peut n'être jamais retrouvé. Madame Mirel se rendra demain matin au poste de police à Ibiza. Elle dira que vous avez disparu au cours de la nuit et relatera toute son aventure depuis le jour où elle vous a connu. Elle dira toute la vérité. De mon côté, je ferai en sorte que vos déclarations parviennent à la police espagnole et à tous les grands journaux d'Europe. Nous allons monter cette affaire en épingle, comprenez-vous ? La publier, la diffuser dans tous ses détails, en faire une nouvelle grande affaire d'espionnage. Alors Moscou ne pourra plus rien contre vous, madame Mirel, la publicité que nous allons faire vous donnera une garantie de sécurité totale, le K.G.B. en arrivera à souhaiter qu'il ne vous arrive aucun accident.

Constance secoua la tête :

— Nous sommes embarqués sur le même bateau, dit-elle tranquillement. Nous continuerons ensemble. Henry peut rédiger ses aveux et dire que je me suicide avec lui, parce qu'il n'y a pas d'autre solution. Il ne sera pas difficile de maquiller deux suicides au lieu d'un, ajouta-t-elle en souriant. Et vous pouvez me faire quitter l'île avec lui. Et organiser le même battage de presse sur notre mort.

— Je n'accepte pas, murmura Yako. Je sais que tu ne peux pas réagir autrement, cette nuit. Et toi tu sais que je ne peux pas accepter...

Il eut un rire silencieux et ajouta :

— Nous sommes destinés, tous les deux, aux situations inextricables. Il se leva :

— Mais ensemble, nous sommes perdus. Seul, maintenant, j'ai une chance de m'en tirer.

— Je n'aurais pas accepté de vous emmener, dit l'homme. Cette affaire m'a amené à connaître un peu votre personnalité, madame Mirel, vous êtes connue à Paris dans les milieux de votre profession, vous avez des amis. Personne n'aurait cru au double suicide, et Moscou n'y verrait qu'un truquage assez grossier, pardonnez-moi. La solution que je propose est la seule vraisemblable.

Yako se pencha et prit la main de Constance. Ils se regardaient, comme au bord d'un large fossé, ne sachant par quels gestes ni par quelles paroles se délivrer de la pesanteur qui les immobilisait.

— Peut-être, plus tard... souffla Yako.

196

Elle fit oui de la tête, sagement, comme une petite fille qui se force à croire au mensonge. Du bout du doigt, il lui effleura la joue et se retourna :

— Nous avons juste le temps avant le lever du jour.

D'un mouvement nonchalant, l'Anglais se détacha du tronc où il était resté adossé. Constance les suivit des yeux alors qu'ils s'enfonçaient dans la pinède, puis elle reposa son front sur ses bras.

*

Pendant qu'ils montaient jusqu'à son campement, l'Anglais expliquait, du ton dont il eût narré l'événement le plus banal :

— Il ne m'a pas été très difficile de vous retrouver. Vous aviez commis une erreur... oh, nous sommes tous tellement conditionnés par ce fichu métier, qu'il me semble que je l'aurais commise, moi aussi, à votre place. Vous n'avez pas pensé que pour Constance Mirel, ces événements ne dépassaient pas le cadre d'une affaire privée, entre assassins et victime virtuels. Vous lui aviez laissé ignorer quels organismes étaient en jeu, parce que pour nous autres le silence est devenu une sorte de réflexe. Or, votre amie est une femme normale, sa vie est rattachée à tout un réseau d'activités et de gens normaux. Il ne pouvait lui venir à l'esprit qu'elle vous faisait courir un risque en reprenant contact avec le cabinet de psychologie qu'elle dirige, en écrivant pour qu'on lui fasse suivre à Ibiza, poste restante, le courrier le plus urgent. Elle, non plus, ne vous en a rien dit, il s'agissait de sa vie professionnelle, tellement en dehors, pour elle, de la vie

197

qu'elle menait avec vous à ce moment. Une petite enquête à Paris m'a donc permis de vous situer à Ibiza. Vos compatriotes avaient eu évidemment la même idée, ils n'ont eu qu'à ouvrir l'annuaire et chercher Mirel, psychologue. Un coup de téléphone adroit à son cabinet, et ils obtenaient le même renseignement. Personne ne se méfiait. Seulement, eux, m'avaient devancé de vingt-quatre heures...

Ainsi, vous suiviez la chasse, vous aussi, dit Yako.

L'Anglais s'arrêta, essoufflé, et attendit que Yako l'eût rejoint :

— Barney suivait la chasse. Celui que vous avez connu sous le nom de David Barney.

Yako ne réagit pas. Il écoutait dans une sorte d'indifférence comme si tout cela ne le concernait plus. Il questionna, par réflexe :

— Comment avez-vous appris ce qui lui était arrivé ?

— Par vous, mon vieux, il n'y a pas longtemps. Barney vous suivait depuis le début, il était avec vous dans les montagnes de la Drôme, avec de bonnes jumelles. Il a assisté à la première tentative de vos amis et a gardé le contact pendant votre fuite. Il vous a retrouvé avec le chien pendant que vous dormiez, près de Grignan. Ensuite, jusqu'à Avignon...

— Comment pouvait-il garder mon contact ? demanda Yako, subitement intéressé.

— Eh bien, de la même façon que les autres, répondit l'Anglais en se remettant en marche. Par les émissions. Seulement, eux avaient perdu le contact après l'attaque.

— Parce que vous saviez ?

— Oui. Nous savions que vous portiez sur vous un appareil émetteur qui vous trahissait, nous savions aussi sur quelle fréquence il émettait.

— Où ?

— Dans le seul objet dont celui qui vous l'a remis savait que vous ne vous sépareriez jamais...

— J'ai tout passé au crible, dit Yako, tout ce que je possédais. J'ai fini par admettre que l'appareil se trouvait sur le chien.

Une fois de plus, l'Anglais s'arrêta et se retourna, aimable, comme s'il proposait une charade :

— Un objet que vous aviez vous-même demandé, vous n'y êtes pas ? Pour votre protection personnelle...

— Le revolver ?

— Exactement. Le petit émetteur se trouvait dans la crosse du Smith and Wesson.

— Mais c'est vous qui me l'avez remis ! s'exclama Yako.

— Pas tout à fait exact. Pas MOI personnellement. Souvenez-vous qui vous l'a remis...

Yako se rappelait : la camionnette qui l'attendait dans la cour de la prison, avec l'argent et le revolver. L'homme au visage de clown.

— Mais c'était un de vos hommes.

— Si on veut. Vous savez que, dans tous les services, il y a des agents doubles ; vous savez aussi que, lorsqu'ils sont démasqués, le service intéressé cherche à les utiliser au maximum avant de les arrêter. Notre attention avait été éveillée par quelques petites fuites, entre autres par un fait à peu près similaire, un cas comme le vôtre : un type qui avait été lui aussi forcé de collaborer avec nous, et que les exécuteurs de son service avaient retrouvé un peu trop vite et un peu trop facilement. Nous avons fait surveiller le suspect et nous avons découvert qu'il travaillait pour vos compatriotes et que son rôle consistait à leur dénoncer les traîtres et à collaborer à leur exécution. Il était admirablement placé, chez nous, pour ce genre de besogne. Pendant que vous étiez à Douvres, le type était mis en état d'arrestation et il avouait tout pour sauver sa peau : le contact qu'il avait eu dans la matinée, le Smith and Wesson « truqué » qui devait lui être remis dans la soirée, destiné à être substitué à celui que nous lui donnerions à votre intention. Toujours pour sauver sa peau, il acceptait de collaborer, c'est-à-dire de continuer d'agir comme si rien ne s'était passé. Il est allé prendre le revolver, a opéré la substitution puis est allé vous attendre avec la camionnette, l'arme, l'argent et les faux papiers. Comme si rien ne s'était passé, il a pu faire communiquer à Moscou votre nouvelle identité d'Henry Forstal, et jusqu'au numéro de votre passeport.

— Quel était votre intérêt ? fit Yako.

L'Anglais se remit à grimper, la pente devenait plus raide et ils devaient s'accrocher aux branches basses et aux racines.

— Notre intérêt ? Nous savions que Moscou mettait au point une nouvelle méthode de repérage et d'identification, nous n'attendions qu'une occasion pour observer ces expériences. Il y avait aussi un intérêt psychologique, je dois dire, toute une série d'observations et de tests qui nous étaient demandés par un département spécialisé.

Il prit pied sur une plate-forme où une petite tente de camping était dressée.

— Il ne vous est pas venu à l'idée que je pourrais

vous tuer, maintenant ? fit doucement Yako en le rejoignant.

L'Anglais époussetait ses genoux, frottait ses paumes l'une contre l'autre :

— Je ne vois pas très bien...

— C'est ce que vous appeliez garder mon secret ? La garantie de votre parole ?

— Mais enfin, mon vieux, depuis combien de temps travaillez-vous dans un service de Renseignements ? Nous ne vous avons pas livré. Nous avons simplement laissé faire. Il n'avait jamais été convenu dans notre accord que nous vous protégerions d'une façon positive. Quant à me tuer, même si vous vous obstiniez à ne rien comprendre, vous ne le ferez pas, à cause de votre amie. Je peux continuer ? Barney avait insisté pour que cette mission lui soit confiée. C'était un drôle de type, Barney, il avait été un agent remarquable. Mais il était malade, il avait fini par trop boire, un type foutu. Nous avons accepté, parce que ce n'était pas une mission très difficile ni très importante. C'est lui qui a eu l'idée de vous contacter directement à Avignon et d'essayer de rester avec vous. Je crois que l'expérience l'intéressait personnellement, et nous avons trouvé cela intéressant de notre côté. Il avait ces amis à Salamanque et il leur a téléphoné qu'il allait les rejoindre. Cela prenait un tour tout à fait nouveau, peu commun, vous voyez. Il y a eu cette histoire d'évêque que vous avez sauvé, évidemment c'était fortuit, mais je crois que de toute façon il aurait dû faire en sorte que le K.G.B. retrouve votre trace au cas où il l'aurait perdue, autrement sa mission aurait pris fin. Je crois qu'il avait une certaine sympathie pour vous. L'idée de l'achat du bateau venait de nous, nous voulions savoir comment le K.G.B. vous aurait retrouvé si vous aviez accompagné Barney dans un voyage plus long. Mais l'inclusion de Constance Mirel dans cette affaire n'était pas prévue. Je ne sais pas si Barney n'avait pas fini par oublier un peu le but de sa mission, s'il n'y prenait pas un intérêt personnel...

— Comment avez-vous appris sa mort ? demanda Yako.

— Quand j'ai cessé brusquement de recevoir ses rapports, j'ai compris que l'affaire avait pris une mauvaise tournure. J'ai donc fait immédiatement enquêter à Malaga par un de nos correspondants en Espagne. Nous avons appris que Barney avait soi-disant téléphoné d'Almunecar qu'il abandonnait le bateau après une dispute. Nous en avons déduit que cette histoire absurde cachait quelque chose de plus grave, évidemment. La présence de cette femme française posait un terrible problème de responsabilité...

En parlant, l'Anglais était entré sous la tente et allumait une petite lampe, puis il s'assit sur le matelas pneumatique.

— Entrez donc...

Yako s'assit à côté de lui. A part le matelas, il y avait un sac ouvert, un petit poste récepteur relié à un magnétophone, une paire de jumelles et un talkie-walkie. D'un signe de tête, l'Anglais montra le magnétophone :

— Toute l'attaque de cette nuit a été enregistrée, questions et réponses. Vous vous êtes remarquablement conduits tous les deux, ajouta-t-il.

Yako ignora cette dernière phrase.

— Et s'ils nous avaient abattus tous les deux immédiatement ? demanda-t-il.

— C'était un risque à courir, mais je n'y croyais pas. La femme étant soupçonnée, ils devaient profiter du premier choc de surprise pour essayer de l'interroger. De toute façon, je ne pouvais pas intervenir directement. Revenons à Barney : nous avions heureusement le nom de Mme Mirel et nous avons pu la localiser ici comme je vous l'ai dit. A ce moment, j'ignorais toujours ce qu'était devenu Barney. Je suis arrivé à Ibiza et j'ai facilement trouvé l'endroit où vous viviez, comme vos compatriotes l'ont fait cette nuit, toujours grâce au petit appareil caché dans la crosse de votre revolver, qui ne cessait pas de donner votre position.

— Sur quelle distance ? demanda Yako.

— Variable selon les conditions atmosphériques. Un rayon de vingt-cinq à trente kilomètres. L'appareil n'est pas nouveau, vous le savez, c'était la méthode d'utilisation qui intéressait tout le monde. Je crois d'ailleurs qu'elle aura besoin d'être mise au point.

— J'espère, fit Yako d'un ton neutre, que les observations de caractère psychologique vous ont apporté plus de satisfactions ?

L'Anglais ramassa un paquet de cigarettes et le tendit à Yako, qui refusa.

— Vous ne fumiez pas, autrefois ? Les tests psychologiques... oui, extrêmement intéressants. Les rapports de Barney étaient remarquables.

— Je ne sais plus dans quel pays, dit calmement Yako, on se livrait à des études semblables sur les condamnés à mort, pendant la période qui précédait leur exécution jusqu'aux tout derniers moments...

— C'était très différent...

L'Anglais s'interrompit brusquement, resta pendant quelques instants les yeux fixés dans le vide, puis reprit à mi-voix :

— Je crois que ça a commencé pendant la guerre d'Espagne, avec des médecins étrangers, des neurologues dans les deux camps. Une guerre très expérimentale, sur tous les plans... A présent tout le monde continue.

Il eut une moue désabusée, jeta la cigarette qu'il n'avait pas allumée et reprit :

— C'est la vie, n'est-ce pas... Je continue : mon premier soin, après avoir installé ce petit campement, a été de placer deux micros dans votre maison ; comme vous n'y étiez presque jamais pendant la journée, c'était aussi très facile. Vous avez parlé de Barney hier avec votre amie et j'ai compris ce qui était arrivé. D'ici, j'ai vu arriver cette nuit vos compatriotes, comme je m'y attendais, et j'ai prévenu par walkie un de mes agents qui attendait à Ibiza et qui a prévenu la police. Ils étaient venus en canot à moteur, qui avait mouillé dans une de ces calanques, pas très loin de chez vous. Ils devaient avoir laissé un type à bord ; j'ai pu voir le canot reprendre la mer peu de temps après l'intervention de la police. Il s'est laissé dériver pas très loin de la côte, il devait sans doute attendre un signal. Il a dû entendre les moteurs de la vedette de la police qui patrouillait car il a foncé vers le large, tous feux éteints. Pris en chasse...

*

Le jour se levait quand Yako tendit à son compagnon les trois feuilles qu'il venait d'écrire. L'Anglais lui désigna un chandail qu'il venait de sortir de son sac. Un chandail bleu marine, avec l'inscription *Miss Margaret* en rouge sur la poitrine.

— Mettez ça. Descendez la colline par l'autre versant, jusqu'à une maison abandonnée dans laquelle vous trouverez un scooter. Suivez le chemin jusqu'à la route de San Antonio. Le yacht est mouillé dans le port. On vous attend pour appareiller... Passez ce pantalon aussi et laissez vos vêtements.

Il se pencha pour ouvrir une des poches du sac, en disant :

— Autrefois, quand la corde se rompait, le condamné à mort était gracié. Je ne compte pas cette nuit, où j'ai bien dû la couper moi-même, mais elle s'était déjà cassée deux fois...

Il sourit et tendit à Yako un petit rectangle de carton. C'était un passeport australien au nom de Robert Crawson. La photo de Yako était identique à celle qui figurait sur le précédent. L'Anglais toussota :

— Ceci à titre personnel, je l'ai fait établir avant de quitter Londres à tout hasard. Je vais faire virer votre compte de la Chase Bank à...

Yako haussa les épaules et se leva. Il n'avait pas touché au chandail. Lui aussi souriait :

— Vous n'avez oublié qu'une seule chose. Ou vous l'ignorez. Tôt ou tard Moscou me retrouvera, parce que même après l'annonce de mon suicide la machine continuera de fonctionner. Je ne serai peut-être plus recherché comme je l'ai été, mais il n'y aura pas eu de preuve tangible de ma mort. Le K.G.B. a des antennes dans le monde entier ; un jour ou l'autre je finirai par être signalé, ne serait-ce que comme suspect. Il suffira d'un tout petit rien, un de ces hasards fortuits... Ce jour-là, Moscou déduira qu'il y a eu truquage, la publicité que vous aurez faite autour de Mme Mirel sera oubliée et elle courra un nouveau danger...

Il se baissa pour prendre une cigarette qu'il roula machinalement dans ses doigts et ajouta :

— Même maintenant... Il existe tant de moyens de faire mourir quelqu'un d'une mort naturelle. Ceci, fit-il en montrant les papiers, ne peut avoir de valeur que confirmé par la preuve tangible, indéniable, de ma mort.

— Que voulez-vous dire ?

— Qu'il faut faire les choses jusqu'au bout ou pas du tout, répondit Yako. Il y a eu assez de tricheries dans cette affaire. Mon corps sera découvert en bas de la falaise, à l'endroit où elle surplombe une plage de galets. Que cela se fasse au moment où Constance sera à Ibiza, vers 9 heures.

L'Anglais se leva et ouvrit la bouche comme s'il allait parler. Il s'humecta les lèvres et baissa les yeux :

— Je lui dirai...

— Oh, allez au diable avec vos scènes héroïques, coupa brutalement Yako. Dites-lui simplement que j'en avais assez de vivre.

Il sortit de la tente et commença à descendre à travers les pins. Il se sentait heureux et délivré.

Brusquement, il se trouva transporté plusieurs semaines en arrière, sur la route de Douvres. Une scène qui était restée enfouie dans sa mémoire revenait à la surface et se déroulait de nouveau : il y avait les motards, les policiers, et ses deux compagnons qu'il venait de réceptionner à Douvres. Celui qui fumait sans arrêt, l'homme aux yeux gris, glissait ses doigts dans sa poche et portait sa main à ses lèvres. Il trébuchait avec une grimace de douleur quand le policier avait bondi pour lui tordre le bras en arrière. Puis, au moment où on l'entraînait vers la Daimler, il se retournait et regardait Yako.

Mais ce souvenir n'était plus nécessaire.

DU MÊME AUTEUR

Dans la collection Carré Noir

OPÉRATION MILLIBAR, n° 14
ASHRAM DRAME, n° 110
LE SILENCIEUX (Drôle de pistolet), n° 175
LE SECRET (Le compagnon indésirable), n° 194
FEU VERT POUR POISSONS ROUGES, n° 204
LE PRIX DES CHOSES, n° 264
EFFRACTION, n° 272
LES CHASSEURS DE SABLE, n° 313
L'ENTOURLOUPE (Nos intentions sont pacifiques), n° 353
PRIÈRE DE SE PENCHER DEHORS, n° 398
LE TESTAMENT D'AMÉRIQUE, n° 477
LA PEAU DE TORPEDO, n° 517
INCOGNITO POUR AILLEURS, n° 542

Dans la collection Série Noire

LE CIMETIÈRE DES DURS, n° 1175
DRÔLE DE PISTOLET, n° 1249
PARIS VA MOURIR, n° 1282
L'INCROYANT, n° 1360
LES CHASSEURS DE SABLE, n° 1433
LE COMPAGNON INDÉSIRABLE, n° 1549
VOULEZ-VOUS MOURIR AVEC MOI, n° 1570

Dans la collection Super Noire

LE FILS DES ALLIGATORS, n° 76

Hors série

NOUS N'IRONS PAS À VALPARAISO

Dans la collection Folio

MOURIR AVEC MOI, n° 2354

Composition Pure Tech Corporation.
Impression S.E.P.C. à Saint-Amand (Cher),
le 7 octobre 1993.
Dépôt légal : octobre 1993.
Numéro d'imprimeur : 2489.
ISBN 2-07-038812-3./Imprimé en France.

65675